AF635150

SpringerWienNewYork

MUSA

WIEN KULTUR

SPACE AFFAIRS | RAUMAFFÄREN | AFFAIRES D'ESPACE

Herausgeber für die Kulturabteilung der Stadt Wien (MA 7) |
Editor for the Department for Cultural Affairs of the City of Vienna (MA 7):
Marc Mer

SpringerWienNewYork

Diese Publikation erscheint anlässlich der Ausstellung **SPACE AFFAIRS | RAUMAFFÄREN | AFFAIRES D'ESPACE** (19.06.–06.10.2012) im MUSA Museum Startgalerie Artothek. | This publication accompanies the exhibition **SPACE AFFAIRS | RAUMAFFÄREN | AFFAIRES D'ESPACE** (19.06.–06.10.2012) at the MUSA Museum Start Gallery Artothek.

INHALT | Content

Berthold Ecker
7 **Raum einräumen** | Granting Space

Mar Mer
10 **SPATIALISMUS** | SPATIALISM
oder | or
Affären des Raumes im Raum der Affären | Affairs of Space in the Space of Affairs
oder auch | or also
Anmerkungen zu einer Ausstellung der vielen Dinge | Notes on an Exhibition of Many Things

18 **Affären des Raumes – Affären mit Dingen – Affären zwischen Worten**
Lesestücke für Raum-Passagiere – ein fiktiver Polylog

22 **Raum allerdings – Raum zweierichs**
ein rhythmisches Gedankenspiel
in Worten während Schritten mit Schritten ohne Worte dazwischen

Johannes Stahl
58 **Dinge zwischen Raum, Sinn und Verabredung** |
Objects between Space, Meaning, and Engagements

76 **Werke | Works**

192 Impressum | Imprint

Berthold Ecker

Raum einräumen | Granting Space

Für ein Museum hat der Raum primär zweierlei Bedeutungen. Einerseits ist es der schützende und bewahrende Ort, an dem die Kunst so weit als möglich dem Zahn der Zeit entzogen ist und ihre materiellen Bestandteile erhalten werden. Andererseits bietet der museale Raum auch die Bühne, auf der das Kunstwerk wirkt und seine Kontextualisierung erfährt.
Der Raum und die Kunst bilden seit jeher ein untrennbares Paar, wobei bereits kleinste Verschiebungen in dessen Verhältnis große Veränderungen seiner Charakteristik zeitigen.
So wie der Ort und das Umfeld eines Kunstwerks bestimmenden Einfluss auf dessen Wirkung ausüben, so strahlt die Kunst ihrerseits eine Kraft aus, die den Raum durchdringt und mit bestimmten Qualitäten erfüllt. Der/die RezipientIn als Dritte/r im Bunde erweckt die Potenzen des Paares schließlich zum Leben.
Werke der bildenden Kunst können einander anziehen, sich ergänzen und stärken, gelegentlich tritt aber auch der Fall ein, dass Werke gar nicht miteinander können oder sich sogar „schlagen". Jedenfalls stehen Artefakte in kontinuierlicher Wechselwirkung zueinander. Die Architektur des MUSA fungiert in diesem Spiel nicht nur als begrenzende Schale, sondern würzt die Beziehungen mit seinen speziellen Raumqualitäten. Seine Sammlung bildet den Fundus, aus dem die SpielerInnen gewählt wurden.
Der Kurator als Kompositeur kennt die Eigenheiten und Kräfte der von ihm gewählten Kunstwerke und führt sie zu einem neuen Miteinander, er besetzt gleichsam das Orchester, das unter seiner Leitung musiziert.
In diesem Sinne räumen wir nicht ausschließlich den Kunstwerken der Sammlung des MUSA Raum ein, sondern auch der Interpretation des Kurators und dem Erleben der BetrachterInnen.

For a museum, space means primarily two things. First, a place of protection and conservation where art is removed from the ravages of time as far as possible and where its material components are preserved. Second, the space of a museum also provides the stage on which a work of art exerts its effect and is contextualized.
Space and art have always been an inseparable pair, with even tiny shifts in the relationship bringing about substantial changes of its characteristic features. While the place and the environs of a work of art exercise a decisive influence on its impact, art itself, on the other hand, radiates a power that pervades space and fills it with certain qualities. The recipient as the third party finally makes the pair's potential come alive.
Works of fine art may attract, complement, or support each other; occasionally, however, they may not get along well with or even be adverse to each other. At any rate, artefacts continuously correlate. In this interplay, the architecture of MUSA not only serves as a confining shell, but also spices up these correlations with the special qualities of its space. Its collection provides the resources from which the players are selected.
The curator as a composer knows the specifics and the powers of the works chosen and assembles them to a new togetherness, fills the positions in the orchestra that performs under his direction, as it were.
It is in this sense that we grant space not only to works of art from the MUSA's collection, but also to the curator's interpretation and to the visitor's experience.

POSTPARADISE, SPACE AFFAIRS,
Format und Präsentation variabel | size and presentation variable,
digitale Collage | digital collage, 2011,
Print / Bildschirm / Projektion | print / screen / projection. © MUSA.

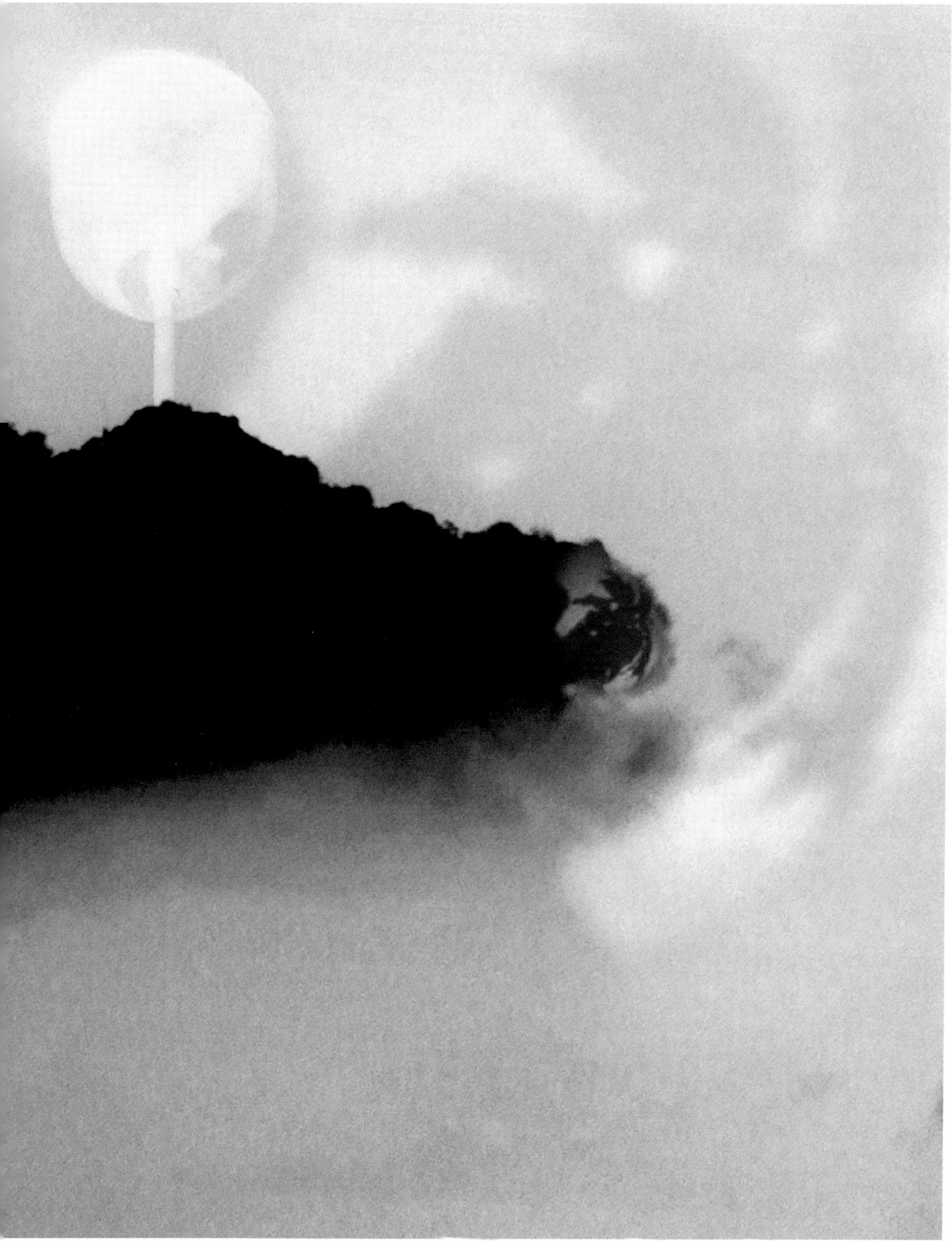

Marc Mer

SPATIALISMUS | SPATIALISM

oder | or

Affären des Raumes im Raum der Affären | Affairs of Space in the Space of Affairs

oder auch | or also

Anmerkungen zu einer Ausstellung der vielen Dinge | Notes on an Exhibition of Many Things

Raum selbst hat keine Form. Doch hat jede seiner Affären eine. Diese sind so zahlreich wie umfassend. Denn alles, was zu tun (à faire) ist und überhaupt getan werden kann, muss im und mit dem Raum getan werden, ist mithin stets eine Affäre des Raumes. Zugleich ist alles, was zu tun ist, mit Dingen zu tun. Affären des Raumes sind allesamt Affären mit den Dingen.

Affären des Raumes, wenn der einer mit Dingen ist, sind Affären mit Dingen. Dass Raum einer mit Dingen ist, kann allerdings keineswegs für selbstverständlich gelten, denn Raum gibt es auch ganz ohne Dinge. Raum, einer mit Dingen, ist sowohl um die Dinge wie auch in den Dingen. Ein solcher Raum aber hat, indem Affären des Raumes Affären mit Dingen sind, auch immer mit sich selbst eine. Gleichwohl kann er eine solche nie von vornherein mit sich anfangen, was in seiner von allem Anderen so sehr verschiedenen Natur begründet liegt. Auch sein Problem mit der Form hat sie zur Ursache. Die Form des Raumes manifestiert sich in seinen Affären.

Affären verstehen sich zweifach – zum einen als Angelegenheiten, zum anderen als Abenteuer. In diesem doppelten – auch doppelbödigen – Sinn zeigen sich die Affären des Raumes als dessen Beziehungen zu den Dingen wie damit zugleich auch schon als dessen Beziehungen zu den Beziehungen zwischen den Dingen. Affären des Raumes sind somit solche, die der mit Dingen hat, die wiederum selbst mit Dingen welche haben. Wovon auch jeder Betrachter sich niemals auszunehmen vermag. Wo immer ein solcher sich in seiner

Space itself has no form. Yet each of its affairs has one. These are as numerous as they are comprehensive. For everything that has to be done (à faire), and can actually be done, has to be done in and with space and, thus, is always an affair of space. At the same time, everything that has to be done has to do with things. Affairs of space are all affairs with things.

Affairs of space, provided the latter is one with things, are affairs with things. That space is a space with things cannot be taken for granted, however, for there is also space without any things at all. Space with things is space both around things and within things. As affairs of space are affairs with things, such a space always has an affair with itself, too. Yet it cannot embark on an affair with itself from the outset, which results from its nature being so different from that of everything else. Its problem with form is also grounded in this. The form of space becomes manifest in its affairs.

Affairs are to be understood in a twofold way: as affairs on the one hand and as adventures on the other. In this double – and ambiguous – meaning the affairs of space reveal themselves as its relationships to things and, in this, as its relationships to the relationships between things, too. Therefore, affairs of space are affairs which space has with things which, for their part, have affairs with things. This is something from which no viewer can ever exempt himself. For wherever a viewer makes himself present in his corporeity he cannot but experience himself as a thing in the same way, too, as a thing that has something going on with other things.

Leibhaftigkeit präsent macht, kommt er nämlich nicht umhin, genauso auch sich selbst als Ding, das mit Dingen was hat, zu erfahren. In diversen Affären derart eben selbst schon Partizipant und Coakteur, kann er gar nicht mehr nur Betrachter bleiben.

Überhaupt steht Raum, der einer der Dinge ist, nie nur mit einem Ding in Beziehung. In welch noch so inniger Beziehung Raum zu einem Ding auch stehen möge, jedes Mal steht er zugleich zumindest zu einem zweiten in einer weiteren. Während ein Ding durchaus auch nur zu einem anderen in Beziehung stehen kann, ist dem Raum solches unmöglich. Und das ist eigentümlicherweise der Dinge wegen so. Denn Ding ist mit Ding.[1] Weswegen Raum immer mit Ding und Ding ist – wenigstens. Boden und Luft, Dinge auch sie, obzwar in dieser Hinsicht viel zu wenig beachtet, sind von Beginn an Beteiligte und bleiben durchgehend Begleiter – allen anderen Beziehungen und Abenteuern gewissermaßen grundlegend und sie zusammenhängend.

Erst und nur in seinen Affären mit Dingen bringt Raum sich zur Erscheinung, so will es scheinen. Und doch bringt Raum dabei nicht sich zur Erscheinung, sondern diese. Womit der als solcher weiterhin unsichtbar bleibt. Raum selbst hat keine Form. Aber in jeder seiner Beziehungen mit den Dingen hat er eine. Raum ist als Form wie keine andere Verhältnis. Raum ist als Form, die der für sich selbst nicht hat, weil der von sich selbst her keine hat, wie keine andere Verhältnis. Raum ist als Form, die der von Anderen hat, wie keine andere

Already a participator and co-actor in various affairs in this way, he can no longer remain a mere viewer.

Generally, space as a space of things is never related to just one thing. However intimate space may relate to a certain thing, it always relates to at least one other thing at the same time. While a thing may actually relate to just one other thing, this is impossible for space – which, oddly enough, is something things are responsible for. For thing is with thing[1] – which is why space is always with thing and thing, at least. Ground and air, which are things too, though they are far too insufficiently taken note of as such, are participants from the beginning and remain companions throughout – fundamental for all other relationships and adventures, and connecting them, so to speak.

It seems that space only makes its appearance in its affairs with things. And yet, space does not reveal itself, but them. And thus, as space, it remains invisible. Space itself has no form. Yet it has one in each of its relationships with things. As form, space is relationship like no other form. Having no form for itself, as it has no form in itself, space as form is relationship like no other form. Space as form from something else is relationship like no other form. Space is a sheer relational dimension. Space is a structure of relations. Space is a structure of relations to such a degree that it is more than that. Space is a thicket of relations. Space is a performative one. Space is a polygamous one. Space is a polyfigurative one. Space is a polylogical one. Space is a concubinary one.[2] Space is the

Verhältnis. Raum ist relationale Dimension pur. Raum ist Beziehungsgebilde. Raum ist Beziehungsgebilde so sehr, dass der schon mehr ist als das. Raum ist Beziehungsdickicht. Raum ist ein performativer. Raum ist ein polygamer. Raum ist ein polyfigurativer. Raum ist ein polylogischer. Raum ist ein konkubinistischer.[2] Raum ist die Konkubine, die mit allen zusammen liegt. Raum ist die Konkubine, die mit allen Dingen zusammen liegt. Raum ist die Konkubine, die mit allen Dingen nicht nacheinander, sondern zugleich zusammen liegt. Raum ist als einer der Beziehungen ein performativer, polygamer, polyfigurativer, polylogischer, konkubinistischer. Raum ist genuin ein kontextueller. Raum ist situative Szenerie.

Dennoch und bei alledem – Raum selbst hat keine Form, nur seine Verhältnisse haben welche. Und die, gleichgültig wie dauerhaft oder flüchtig, hat der stets mit Dingen. So dass, in wie vielfältig verschiedener Art der in Angelegenheiten und Abenteuern auch stecken möge, es immer die Dinge sind, die ihm seine Form dabei geben, wiewohl die von Grund auf gar nie seine, sondern immer ihre ist.

Für eine Sondierung entsprechender Artikulationen in Werken der Kunst legen diese Überlegungen das Fundament und formulieren zugleich auch das konzeptionelle Gerüst für eine hieraus resultierende Ausstellung, die mit der Präsentation von Affären des Raumes die Installation eines Raums der Affären betreiben will – in der programmatischen Absicht, seine performative Polygamie in einem exemplarischen Panoptikum als multimediales Terrain polyfigurativer Relationalitäten zu inszenieren.

Ausgewählte künstlerische Forschungen, in ihrem experimentellen Charakter und ihrer „phantastischen Genauigkeit"[3] nicht zuletzt auch immer von einer ganz eigenen – in jedem Fall notwendigerweise eigenwilligen – wissenschaftlichen Dimension und Relevanz, spannen ein weites Spektrum von sinnlich-situativer Vielfalt auf. Darin geben sich ein Stelldichein:
ein Sarg, ein Go-go-Girl; sechs Schränke, ein Knäuel, ein offener Koffer; etliche Kleidungs-

concubine that lies together with all. Space is the concubine that lies together with all things. Space is the concubine that does not lie together with one after another of all things, but with all things simultaneously. As one of relations, space is a performative, polygamous, polyfigurative, polylogical, concubinary one. Space is genuinely a contextual one. Space is a situative scenery.

Yet and despite all that, space itself has no form, only its relationships do. These forms, no matter how lasting or fleeting they are, are always relationships with things – which goes to say that, in whatever manifold and different ways space may be embedded in affairs and adventures, it is always things which define its form, though this form is essentially never its own, but always theirs.

These considerations provide not only a basis for sounding out corresponding articulations in works of art, but also outline the conceptual framework for a resultant exhibition which, by presenting affairs of space, aims at an installation of a space of affairs – and this with the programmatic objective of staging its performative polygamy in an exemplary kaleidoscope as a multimedia terrain of polyfigurative relationalities.

Selected research in the field of art, its experimental character and 'fantastic precision'[3] endowing it with a very special – at any rate necessarily original – scholarly dimension and relevance, unfolds a wide range of a sensuously situative variety. This offers an opportunity for the get-together of: a coffin, a go-go-dancer; six lockers, a ball, an open suitcase; several items of clothing with bodies in them; a rope, bands, orbits, movement loops; always a direction, but never one, directions, many and various, straight and bent, only different parts of those bent in themselves; slits, vibrations of a bottle; a sight shield with too much shield and no sight; a capsule, closed outside, hollow within, a block, closed outside and inside, comprised of discs only with no hollows in between; different modes of rotation, no infinity there, neither here nor there and, by the way, here not less not than there; containers and

stücke, drinnen Leiber; ein Seil, Bänder, Umlaufbahnen, Bewegungsschleifen; Richtung immer, nur eine nie, Richtungen, viele und verschiedene, gerade und gekrümmte, als ineinander gekrümmte verschiedene nur in Stücken; Schlitze, Schwingungen einer Flasche; ein Sichtschild, dem vor lauter Schild die Sicht abhanden kommt; eine Kapsel, äußerlich geschlossen, innerlich hohl, ein Block, äußerlich wie innerlich geschlossen, aus Scheiben ganz, zwischen denen es nichts Hohles mehr gibt; völlig verschiedene Weisen von Rotation, Unendlichkeit dabei nie, in ihr nicht, in ihm nicht, und in ihm im Übrigen nicht weniger nicht als in ihr; Behältnisse und Verhältnisse, enger oder weiter einander verwandt, wie sie rundum sich begegnen; Umfassungen jedweder Art, mit Einpassungen, mit Auspassungen, mit beiden, ohne beide; Blasen, die sich blähen und platzen; ein Mund, aus dem kein Ton kommt, Regen keiner, doch ein Schirm, der tönt; knapp ein Dutzend Mobiltelefone, jedweder Hand entwendet, auf eine gemeinsame Wand gewandert, da all die Zersplitterungen, welche in Bild und Ton aus ihnen quellen, in sich überlagernden Aktionsradien neu zusammenhängend; ein fünfter Stuhl, zur Gänze als abwesender anwesend, während vier vor ihm so in Teilen schon da sind; ein Automobil voller Bananen, jede Menge Fenster; sonstige Öffnungen nichtminder, zudem hinter welchen welche, solche noch und noch, darunter geschlechtliche; ein aufgeschlagenes Buch ohne ein Wort, wenige Worte woanders; ein paar Punkte, eine Reihe von Einsen; Wiederholung um Wiederholung, wenngleich um des bloßen Wiederholens willen keine einzige, jede einzelne der Verschiebung von Bedeutung wegen; vielmaliges Erscheinen der Distanz, zudem einmaliges Erscheinen des Distanzes, der ein Tanz der Distanz ist; Schnur nur, ein Fall, ein Ball, Zement; Strich, ein senkrechter im Fall, ein sich selbst umwickelnder im Ball; ein Pfeil, ein Flugzeug, einige mehr oder minder stabile Türme; eine knallrote Kollision, eine tentakelnde Tänzerin, transzendierende Vertikalität; Aufwüchse und Auswüchse, Abgründe und Abstürze; Spiegel, die stehen, wiewohl als nebenbei lehnende nur, darin Spiegelungen eines Stehens, das als autono

relations, more and less closely related to each other as they meet all around; framings and encasings of all kinds, with inserts, with outserts, with both, without any; bubbles that swell up and burst; a mouth with no sound coming out, no rain, but an umbrella with sound; nearly half a dozen mobile phones, purloined from different hands, transferred to a common wall, fragments gushing from them in picture and sound newly connected in overlapping radii of action; a fifth chair, present in the absence of completeness, while four were there before in its parts; an automobile full of bananas, any amount of windows; other openings galore, and behind them others aplenty, sexual ones among them; an open book without a word, a few words in another place; a few dots, a row of ones; repetition after repetition, though not one for the sake of mere repetition, each for the sake of a shift in meaning; frequent appearance of distance, and, in addition, one-time appearance of a *disdance*, which is a dance of distance; just a rope, a fall, a ball, concrete; a line, a vertical one in fall, another wrapping itself up in the ball; an arrow, an airplane, some more or less stable towers; a glaring red collision, a tentacling dancer, transcending verticality; examples of aufwuchs and excrescence, abysses and crashes; mirrors that stand, though only incidentally leaning, in them reflections of a standing that, as autonomous, does not depend on any support; mirrors, one propped up moreover, afloat, no other disk in such critical balance; other disks, though, and not just unmoving ones, such as one, propelled at breakneck speed, that gathers everything getting in its way in front of the eyes of those behind; furthermore and likewise – inevitably – less farther, flashes, fade-ins even, which, profound in their nevertheless shallow nature, in their reversal must be fade-outs at the same time; blankets of fog and other webs, transparencies and impenetrabilities in diverse dosages in general; intertwined fore- and backgrounds, under- and overcoats; masses of pictures cut into tiny strips, in the gaps between their parts real space for the first time, which they are usually only supposed to contain; asunder and adjacent in large numbers, both of things, the first also of space, and quite immediately so, and as such allowing the

mes keinerlei Stützung bedarf; Spiegel, ein aufgeständerter überdies, derart schwebend, in so kritischer Balance wie diese keine weitere Scheibe; Scheiben, andere dennoch ebenfalls und keineswegs nur unbewegte, so etwa eine rasend schnell bewegte, die vor den Augen derer dahinter alles aufsammelt, was ihr in die Quere kommt; des Weiteren, wie des Näheren unausweichlicherweise genauso, Blendungen, Einblendungen insbesondere, denen es tief in ihrem gleichwohl flachen Wesen liegt, in ihrer Umkehrung Ausblendungen jedenfalls zugleich sein zu müssen; Nebel, auch andere Gewebe, überhaupt Durchsichtbarkeiten und Undurchsichtbarkeiten in diverser Dosierung; Verflechtungen von Vorder- mit Hintergründen, von Unter- mit Übergründen; massenhaft in winzige Streifen zerschnittene Bilder, in den Lücken zwischen ihren Stücken erstmals Raum tatsächlich, von dem sie sonst immer nur vermeintlich welchen in sich haben; Auseinander und Aneinander zuhauf, beide welche der Dinge, Ersteres zugleich auch eines des Raumes, und zwar ganz unmittelbar, als solches das Erscheinen von allem Anderen, was es auch sei, erst ermöglichend, Zweiteres hingegen beinahe nur noch eines der Dinge und fast schon keines des Raumes mehr; ein Stein, an dem sich im Gegenüber mit Bildern von Steinen das Dinghafte vom Bildhaften scheidet; Blicke, Brüche, Falten, Fluchten; Anfang und Ende des Raumes allüberall, wie es scheinen möchte, obschon es beides nicht gibt, weder den einen noch das andere, Anfang und Ende der Dinge allerdings tatsächlich immer; zuallererst und unentwegt Boden, Grund unter allem, grundlegende Affäre des Raumes, sämtliche Affären sonst darüber und damit, alle Hinundherstellungen darauf, alle Hinundherstellungen der Betrachter als Begeher des Bodens nach eigenem Belieben dazwischen – somit immer mittendrin: das Publikum, an allen Affären Teilhaber jeweils selbst, indem es zwischen ihnen wechselweise erscheint und verschwindet.

Raum mag im tagtäglichen Tun so manchem als selbstverständliche Gegebenheit erscheinen. In seiner Eigenart allerdings lässt Raum sich seit jeher nur schwer fassen. Zwei hierzu

appearance of everything else, whatever it is – the latter almost only one of the things and nearly not of space anymore; a stone where the material separates from the visual in confrontation with pictures of stones; looks, ruptures, folds, alignments; beginning and end of space everywhere, as it may seem, though none of the two exists, neither the one nor the other, yet beginning and end of things actually always; first of all and constantly ground, ground under everything, fundamental affair of space, all other affairs above and with it, all back and forth positionings on it, all back and forth positionings of viewers as people crossing the ground at their own will in between – and thus always right in the middle of it: the public, participating in all affairs by alternately appearing and disappearing among them.

In their daily doings, quite a few people may take space for granted. Space, however, has always been difficult to grasp in its specifics. Though having got long in the tooth, two famous attempts to do so still stand strong as prominent precursors in the context of an exhibition like this one: Martin Heidegger's text *Die Kunst und der Raum* ('Art and Space')[4] and Lucio Fontana's slashed canvas, which he himself called *Concetto spaziale*[5] (spatial concept) and which was meant to bring space into the picture.

This exhibition is not aimed at bringing space into the picture. And it is, with good reason, not concerned with space as such. Such an attempt would be nothing but pure nonsense. The exhibition tries to question space as what it essentially is: a structure of relations. This is why its title quite deliberately – and indicating a deeper meaning – already combines the concept of space with that of the affair. From the outset it thus links space with an activity, twofold at least in each of its affairs, though manifold in just one at least, more manifold many times over in the juxtaposition and coexistence of many of them – or, to be precise: clearly even more than more manifold many times over. In this way, space makes them visible in their most manifold factuality. What is questioned as a structure of relations emerges as a thicket of relations.

berühmt gewordene Versuche, wenngleich in die Jahre gekommen, stehen als markante Vorläufer auch im Kontext einer Ausstellung wie dieser noch: Martin Heideggers Text „Die Kunst und der Raum“[4] und Lucio Fontanas Schnitt in die Leinwand, von ihm selbst als „Concetto spaziale“[5] bezeichnet, mit dem er meinte, den Raum ins Bild zu holen.

Raum will diese Ausstellung nicht ins Bild holen. Raum an und für sich zu thematisieren, nimmt sie sich ebenfalls aus gutem Grund nicht vor. Ein derartiges Ansinnen wäre weiter nichts als blanker Unsinn. Doch unternimmt sie den Versuch, Raum als das zu hinterfragen, was der wesentlicherweise ist: Beziehungsgebilde. Deswegen geschieht es, dass sie bereits in ihrem Titel höchst absichtsvoll – wie hintersinnig nicht viel weniger – den Begriff des Raumes mit dem der Affäre kombiniert. Raum verknüpft sie so von vornherein mit einem Tun, in jeder einzelnen seiner Affären zumindest zweifach, wiewohl zumeist in einer vielfach schon, im Neben- und Miteinander vieler solcher zudem um ein Vielfaches vielfacher noch – um genau zu sein: sogar um einiges mehr als nur deren Vielfaches vielfacher noch. Raum macht sie derart in vielgestaltigster Tatsächlichkeit sichtbar. Der als Beziehungsgebilde Hinterfragte ersteht als Beziehungsdickicht.

1 Von Gegenstands wegen ist Ding mit Ding. Dass Ding mit Ding ist, rührt fundamental von seiner Gegenständlichkeit her. Als Gegenstände sind Dinge mit Dingen. Was Ding mit Ding macht, nämlich Raum, und wie Ding mit Ding Raum macht, findet sich bereits 2008 in einem auf der Architekturbiennale in Venedig von mir geleiteten Workshop thematisiert – „ein programmatisches transdisziplinäres experiment von prometheischem charakter, das die kommunikative synästhetische kultur der dinge zum substantiellen prinzip für einen sich hieraus fortwährend selbst inszenierenden performativen raum macht." Derart vermerkt es die Formulierung seiner inhaltlichen Ausrichtung, jedwede entgegen sich stemmende Komplexität dabei in kompakte Kürze zwingend. Allem voran gestellt jedoch, gleichsam Feststellung dessen, was ist, genauso sehr wie zugleich auch schon Anleitung dafür, was zu tun sei, zieht sich die gesamte Konzeption in weitaus höherer Konzentration noch – gewissermaßen als Destillat – scheinbar mühelos auf die ebenso minimale wie lapidare Formel „raum aus ding mit ding" zusammen. Hingegen scheinen die in unmittelbarer Folge aufgeführten Eigenschaften eines solchen Raumes als verschiedene Arten von Ding-mit-Ding-Verhältnissen, welche übrigens nie einzeln, sondern stets in kombinatorischen Bündeln nachweisbar sind, in geradezu opulent auswuchernder Vielfalt auf: „affektiv akkumulativ anarchisch archaisch assoziativ atmosphärisch attraktiv auratisch autark automatisch banal brutal chaotisch choreographisch dadaistisch diffus diskret disparat dissonant distant divers divisional dramatisch dromoskopisch duchampisch enigmatisch eklektisch ekstatisch elastisch emanativ empirisch ephemer epikureisch erektil erotisch exhibitionistisch existentialistisch exklusiv explosiv exzentrisch exzessiv figural fiktiv fraktal fundamental funktional futuristisch genuin grotesk halluzinativ heterotopisch imaginativ impressiv impulsiv inklusiv intim irritativ juxtapositional kafkaesk kakophon katalytisch koinzidental kollektiv kompatibel kompressiv konsekutiv konspirativ kontradiktisch kontraktiv konversativ konvulsivisch konzertant labil liquid manipulativ melodisch mechanisch momentan motivisch multilateral normativ narrativ opulent ordinär panoramatisch paralogisch periodisch peripatetisch phallisch poetisch politisch polyfigurativ polyzentrisch possessiv präparativ präventiv privativ problematisch progressiv promiskuitiv prospektiv prozessual pseudostabil psychedelisch publik quasistatisch quasistationär radikal referentiell reflexiv regulär registrativ relational repräsentativ restriktiv revolutionär rhythmisch sequentiell separatistisch simultan simulativ situativ solipsistisch sozial subversiv substantiell surreal synästhetisch systematisch szenisch tektonisch territorial textuell theatral translokal utilitär utopisch vaginal vakant variabel vektoriell virtuell voluminös voluntativ voyeuristisch vulgär xenophil zäsural zeremoniell zirkulär zyklisch". Ein englischer Appendix schließt den mit der deutschen Formel „raum aus ding mit ding" begonnenen konzeptionellen Kreis: „SPACE IS THE NO THING | SPACE IS THE THING WITH THING // THING WITH THING | SEX OF THINGS | SPACE IS MADE BY SEX OF THINGS // THINK THING WITH THING | THINK SEX OF THINGS // THINK SPACE | THINK THE SPACETHING // ARCHITECTURE IS THE SPACETHING | THINK ARCHITECTURE". Marc Mer: SPACEPERFORMER | THINKTHINGWITHTHING, 11. Internationale Architekturbiennale, Venedig 2008. Hier zitiert nach http// www.marcmer.eu/html/spaceperformer.html, 2012-05-07.
Für die Konzeption der Ausstellung „SPACE AFFAIRS" kommt dem Programm zum Workshop „SPACEPERFORMER | THINKTHINGWITHTHING" der Stellenwert eines in vielfacher Hinsicht einflussreichen Vorläufers zu.

2 Marc Mer: Transdisziplinäres Terrain. Raumlust, Leiblust, Sinnlust. Konkubinistisches. Ein Polylog, Vortrag an der Universität für künstlerische und industrielle Gestaltung, Linz, 09.06.2010. Darin präge und veranschauliche ich den Begriff des Konkubinismus erstmalig. In dieser Wortneuschöpfung vereinigt sich die Konkubine mit dem Kubismus, die Beiliegende mit Gleichzeitigkeit und Allansichtigkeit.

3 Von einer solchen spricht Robert Musil und führt hierzu weiter aus: „Denn in Wirklichkeit gibt es ja nicht nur die phantastische Genauigkeit (die es in Wirklichkeit noch gar nicht gibt), sondern auch eine pedantische, und diese beiden unterscheiden sich dadurch, dass sich die phantastische an die Tatsachen hält und die pedantische an Phantasiegebilde." Robert Musil: Der Mann ohne Eigenschaften, herausgegeben von Adolf Frisé, Reinbek 1990, S. 247.

4 „Die Frage, was der Raum als Raum sei", stellt sich der Philosoph darin mit der Absicht, „Einblick ins Eigentümliche des Raumes" zu nehmen, dem er insbesondere über eine „Auseinandersetzung mit dem künstlerischen Raum" näher kommen will. Die Schwierigkeit seines Unterfangens unterstreicht er gleichwohl von Beginn an mit den Worten: „Die Bemerkungen zur Kunst, zum Raum, zum Ineinanderspiel beider bleiben Fragen, auch wenn sie in der Form von Behauptungen sprechen." In den darauf folgenden Überlegungen lotet er das Verhältnis von Raum und Kunst im Allgemeinen aus. Mit der Tatsache aber, dass diese im Hinblick auf das plastische Werk von Eduardo Chillida entstanden sind, wirken dennoch auch – und wohl kaum nur zuletzt – die spezifischen Bezüge zu einem konkreten Werk in ihnen. Martin Heidegger: Die Kunst und der Raum, St. Gallen 1969, o.S.

5 Es braucht für Lucio Fontana nicht mehr, als die minimalen Mittel Stich und Schnitt zu gebrauchen, um in Löchern (seit 1949) und Schlitzen (seit 1958) die Fläche des Bildes mitsamt dem dünnen Boden, der es trägt, zu durchbrechen. Die Begrifflichkeit „räumliches Konzept" haben alle diese Arbeiten als Titel gemeinsam.

1 It is a matter of objects that thing is with thing. That thing is with thing fundamentally stems from its objectivity. As objects, things are with things. What thing does with thing, namely create space, and how thing creates space with thing, has been the subject of a workshop I held at the 2008 Architecture Biennale in Venice: 'a programmatic transdisciplinary experiment of Promethean character that makes the communicative synaesthetic culture of things the substantial principle for a performative space continuously unfolding itself from this'. This is how the workshop's orientation in terms of content was formulated, condensing all resistant complexity. Preceding everything, however, both as a statement of what is and, in equal measure and at the same time, as an instruction for what was to be done, the entire conception was effortlessly, it seemed, reduced to a far more concentrated distillate, the minimal and succinct formula 'space from thing with thing'. The subsequently listed qualities of such a space present themselves as different kinds of thing-with-thing relationships – which, by the way, are never verifiable individually, but always in combinatory bundles – in an almost luxuriously rampant variety: 'accumulative affective anarchic archaic associative atmospheric attractive auratic automatic banal brutal cacophonic caesural catalytic ceremonial chaotic choreographic circular coincidental collective compatible compressive concertante consecutive conspiratorial contractive contradictory conversational convulsive cyclic Dadaistic diffuse discrete disparate dissonant distant diverse divisional dramatic dromoscopic Duchampian eccentric eclectic ecstatic elastic emanative empirical enigmatic ephemeral Epicurean erectile erotic excessive exclusive exhibitionist existentialist explosive fictional figurative fractal functional fundamental futurist genuine grotesque hallucinatory heterotopic imaginative impressive impulsive inclusive independent intimate irritative juxtapositional Kafkaesque labile liquid manipulative mechanical melodic momentary motific multilateral narrative normative opulent ordinary panoramatic paralogical periodical peripatetic phallic poetic political polycentric polyfigurative possessive preparatory preventive privative problematic processual progressive promiscuous prospective pseudostabile psychedelic public quasistatic quasistationary radical referential reflexive registrative regular relational representative restrictive revolutionary rhythmical scenic separatist sequential simulative simultaneous situational social solipsist substantial subversive surreal synaesthetic systematic tectonic territorial textual theatrical translocal utilitarian utopian vacant vaginal variable vectorial virtual voluminous voluntative voyeuristic vulgar xenophile'. An English appendix rounds off the conceptual circle that began with the German formula 'raum aus ding mit ding' (space from thing with thing) as follows: 'SPACE IS THE NO THING | SPACE IS THE THING WITH THING // THING WITH THING | SEX OF THINGS | SPACE IS MADE BY SEX OF THINGS // THINK THING WITH THING | THINK SEX OF THINGS // THINK SPACE | THINK THE SPACETHING // ARCHITECTURE IS THE SPACETHING | THINK ARCHITECTURE'. Marc Mer, *SPACEPERFORMER | THINKTHING-WITHTHING*, 11th International Architecture Biennale, Venice 2008. Quoted from <http//www.marcmer.eu/html/spaceperformer.html>, accessed 7 May 2012. The programme for the workshop *SPACEPERFORMER | THINKTHINGWITHTHING* was in many ways an influential precursor to the development of the exhibition *SPACE AFFAIRS*.

2 Marc Mer, *Transdisziplinäres Terrain. Raumlust, Leiblust, Sinnlust. Konkubinistisches. Ein Polylog*, lecture at the University of Art and Design Linz, 9 June 2010. It was in this lecture where I coined, and for the first time expounded on, the concept of concubinism. In it, the concubine couples with Cubism, the one lying together with simultaneity and in-the-round character.

3 In *Man Without Qualities*, Robert Musil writes: 'In reality, as we all know, there is not only an imaginary precision (not yet present in reality at all) but also a pedantic kind, the difference being that the imaginary kind sticks to the facts and the pedantic kind to imaginary constructs.' Robert Musil, *The Man Without Qualities*, translated by Sophie Wilkins and Burton Pike (London, Basingstoke and Oxford, 2011), 267.

4 'The question, what space as space would be', is what the philosopher is concerned with here with the intention of winning 'an insight into the special character of space', which he hopes to achieve by embarking on 'a talk about artistic space'. He emphasizes the difficulty of his undertaking from the very beginning, though by saying: 'The remarks on art, space and their interplay remain questions, even if they are uttered in the form of assertions'. In the following reflections he fathoms the relationship between space and art in general. As Heidegger developed his ideas in regard to the sculptural work of Eduardo Chillida, his statements also – and not least – reflect special references to an artist's specific oeuvre. Martin Heidegger, *Art and Space*, translated by Charles H. Seibert, <http://pdflibrary.files.wordpress.com/2008/02/art-and-space.pdf>, accessed 22 May 2012.

5 Relying on nothing but the minimal means of stabs and cuts, Lucio Fontana penetrated the surface of pictures, including their thin supports, in his *Holes* (from 1949) and *Slashes* (from 1958). The expression 'spatial concept' is the title shared by all these works.

Marc Mer

Affären des Raumes – Affären mit Dingen – Affären zwischen Worten

Lesestücke für Raum-Passagiere – ein fiktiver Polylog

– „Welche Linie scheidet das Drinnen vom Draußen, das Rattern der Räder vom Geheul der Wölfe?“[IC] – „Ein Fenster öffnet sich, aber die Eigenschaft eines Fensters, nämlich, etwas von draußen herein zu lassen, gilt nicht mehr.“[EK] – „Vom Spiegel aus entdecke ich mich als abwesend auf dem Platz, wo ich bin, da ich mich dort sehe.“[MF] – „Jetzt nehmen mich die Gegenstände wahr.“[PK] – „Von diesem Blick aus, der sich auf mich richtet, und aus der Tiefe dieses virtuellen Raumes hinter dem Glas kehre ich zu mir zurück und beginne meine Augen wieder auf mich zu richten und mich da wieder einzufinden, wo ich bin.“[MF] – „Kein Gegenstand schlüpft jemals in die Aufnahme, die von ihm gemacht wird.“[MM] –

Marc Mer, ***come to be [sightseeing talks]***, Kassel 2000, literarische Stadtrauminstallation – Licht reflektierendes Schild am Steinweg / Straßenmast im Trennstreifen zwischen den Fahrspuren vor Staatstheater und Fridericianum, Text: der raum hat keine | ausdehnung, nur die | räumlichen gegenstände | sind ausgedehnt, aber | die unendlichkeit ist eine | eigenschaft des raumes. || ludwig wittgenstein: philosophische bemerkungen, Foto: Matthias Weidmann. © VBK Wien.

– „Die Überschätzung der Frage, wo man sich befinde, stammt aus der Hordenzeit, wo man sich die Futterplätze merken musste.“[RM] – „Bei einem Denker sollte man nicht fragen, welchen Standpunkt nimmt er ein, sondern: wie viele Standpunkte nimmt er ein? Mit anderen Worten: hat er einen geräumigen Denkapparat oder leidet er an Platzmangel, das heißt: an einem ‚System‘?“[EF] – „So ließe sich der Möglichkeitssinn geradezu als die Fähigkeit definieren, alles, was eben so gut sein könnte, zu denken und das, was ist, nicht wichtiger zu nehmen als das, was nicht ist.“[RM] – „Der Kopf ist rund, damit das Denken die Richtung wechseln kann.“[FP] –

– „Denken besteht fast in der gesamten Zeit, die wir ihm widmen, in einem Herumirren zwischen Motiven, von denen wir in erster Linie wissen, dass sie uns *mehr* oder *weniger* bekannt sind."[PV] – „Die Erinnerung und die Wirklichkeit müssen in einem Raum sein. Auch: die Vorstellung und die Wirklichkeit sind in einem Raum."[LW] – „Ich habe noch nie eine Phantasie gehabt, die nicht eine – wenn auch noch so verborgene – Nabelschnur zur Wirklichkeit gehabt hätte."[CM] – „Hinter den Bildern liegt der Raum. Da hat die Wirklichkeit ihren Boden."[MM] –

– „Die Spiele der Schritte sind Gestaltungen von Räumen."[MC] – „Ich stoße auf meinem Weg gegen Hindernisse (gegen die gegenständliche, objektive, problematische Welt), ich stülpe einige dieser Hindernisse um (verwandele sie in Gebrauchsgegenstände, in Kultur), um fortzuschreiten, und diese derart umgekehrten Gegenstände erweisen sich selbst als hindernd."[VF] – „Diese Unzucht, diese Inzucht der haltlosen, längst nicht mehr beherrschten Körper, Gedanken und Wünsche, wo in allen Winkeln, zwischen allen Möbeln unerlaubte Verhältnisse, unpassende zufällige Dinge, uneheliche Kinder entstehen".[FK] –

– „Mit dem Tun des Leibes wird der Raum ein szenischer."[MM] – „Das Gehverhalten spielt mit der Raumaufteilung, so panoptisch sie auch sein mag: es ist ihr weder fremd (es bewegt sich nicht woandershin) noch konform (es bezieht nicht seine Identität aus ihr). Es erzeugt in ihr Zwielichtigkeit und Zweideutigkeit."[MC] – „Das Glas leeren heißt: es als das Fassende in sein Freigewordenes versammeln."[MH] – „Es kann auch ohne dass man betrunken ist, die Welt unsicher sein. Die Straßenwände wanken wie Kulissen, hinter denen etwas auf das Stichwort wartet, um herauszutreten."[RM] – „Darin nimmt Raumes Unheimlichkeit ihren Anfang: dass etwas sich öffnet."[MM] –

– „Ich fliehe in die Isolierzelle, um zu telephonieren. Hier bin ich einsam und empfange die Geräusche der ganzen Stadt."[KK] – „Ich will sagen: dass in der Wirklichkeit ein unsinniges Verlangen nach Unwirklichkeit steckt!"[RM] – „Der Etui-Mensch sucht seine Bequemlichkeit und das Gehäuse ist ihr Inbegriff. Das Innere des Gehäuses ist die mit Samt ausgeschlagene Spur, die er in die Welt gedrückt hat."[WB] – „Seine größte Befriedigung, die er sich konstant versagt, ist die des Zusammenhangs."[EC] – „Haus ist gebaute Betrachtungsweise. Haus ist Raum, der formt. Haus ist Raum, der automatisiert."[MM] – „Der Bürger duldet nichts Unverständliches im Haus."[KK] –

– „Man muss sich wieder der Unwirklichkeit bemächtigen; die Wirklichkeit hat keinen Sinn mehr!"[RM] – „Haus und Straße gleichen sich."[MM] – „Räumen ist Freigabe von Orten."[MH] – „Eine Dame löste sich in Luft auf. Einfach so. Und mehrere Herren sahen zu."[CB] – „Raum ist einer der Leiber."[MM] – „Hinter dem Raum, so will es scheinen, gibt es nichts mehr, worauf er zurückgeführt werden könnte. Vor ihm gibt es kein Ausweichen zu anderem."[MH] – „Der Raum hat keine Ausdehnung, nur die räumlichen Gegenstände sind ausgedehnt, aber die Unendlichkeit ist eine Eigenschaft des Raumes."[LW] – „In Bildern ist nichts weiter als eine Illusion von Raum."[MM] –

– „Der Ort öffnet jeweils eine Gegend, indem er die Dinge auf das Zusammengehören in ihr versammelt."[MH] – „Die Einzelheiten besitzen nicht mehr ihren Egoismus, durch den sie unsere Aufmerksamkeit in Anspruch nehmen, sondern sie sind geschwisterlich und im wörtlichen Sinn ‚innig' miteinander verbunden."[RM] – „Wir sind in der Epoche des Simultanen, wir sind in der Epoche der Juxtaposition, in der Epoche des Nahen und des Fernen."[MF] – „Ein großer Teil unserer Ideen hängt von ihrer Lage ab."[GCL] – „Also ist die Welt nicht, wie die Sachen auseinander entstehen (Geschichte), sondern wie sich die Sachen zueinander verhalten (Formen)."[VF] –„Wie wäre es, wenn ich zwei Körper hätte, das heißt, wenn mein Körper aus zwei Leibern bestünde?"[LW] –

– „Vermutlich ist jedoch die Leere gerade mit dem Eigentümlichen des Ortes verschwistert und darum kein Fehlen, sondern ein Hervorbringen."[MH] – „Aus dem Zwischenraum stiftet sich dem Handlungsraum Sinn oder

Unsinn."[MM] – „Der Zaun indessen stand ganz dumm, / mit Latten ohne was herum."[CM] – „Die Lücke sehen, heißt, sie schon geschlossen haben."[HB] – „Ich betrachtete meine Hand mit den gespreizten Fingern, und ihre vier Gabelungen verschwanden in der imaginären Verlängerung meiner Finger, die niemals mehr aufeinander treffen würden."[SD] – „Wir müssten erkennen lernen, dass die Dinge selbst die Orte sind, und nicht nur an einen Ort gehören."[MH] –

– „Bedeutung ist immer auf der Suche nach sich selbst. Unerwartete Offenbarungen warten an der nächsten Ecke auf uns."[CS] – „Die Häuser schwimmen in Schlafzimmern, die Schlafzimmer in Wäscheschränken und alles in vollem Licht."[JS] – „Sobald die Türe wieder so weit zu ist wie vorher, ist der Ort völlig dunkel."[ARG] – „In jedem von uns gibt es heimliche Räume. Sie sind vollgestellt, und die Lichter sind aus."[CS] – „Dass die Dinge geschehen, ist nichts: dass sie gewusst werden, ist alles."[EF] – „Die sich schließende Tür ist genau das, was man öffnet."[MC] – „Das Einzelne erweist sich immer wieder als unwichtig, aber die Möglichkeit jedes Einzelnen gibt uns Aufschluss über das Wesen der Welt."[LW] –

– „Die Welt ist ein allen Menschen gemeiner Körper."[GCL] – „Nur dies weiß man mit Sicherheit: eine bestimmte Anzahl von Gegenständen verändert ihren Platz in einem bestimmten Raum, ist einmal begraben von einer Menge neuer Gegenstände und verbraucht sich ein andermal ohne Ersatz; Regel ist, sie jedesmal zu vermengen und den Versuch zu machen, sie wieder zusammen zu bringen."[IC] – „Wenn ein Gedanke in zwei Formen leben kann, so hat er es nicht so gut wie zwei Gedanken, die in einer Form leben."[KK] – „Der Spiegel vermehrt einmal und negiert einmal die Bedeutung der Dinge."[IC] –

– „Dinge zu sagen, von denen sich höchstens beweisen lässt, dass sie falsch sind, dieser Mut ist die Voraussetzung aller Produktivität, vor allem jeder philosophischen und künstlerischen oder auch nur mit Kunst und Philosophie entfernt verwandten."[EF] – „Die Dinge, denen man auf den Grund geht, lösen sich auf. Das ist eine Gefahr. Aber die Dinge, denen man auf den Grund geht, vergröbern sich auch: eine andere Gefahr, sie werden zu schwereren Dingen."[EC] – „Denn es ist eine allgemeine Quelle unseres Unglücks, dass wir glauben, die Dinge seien, was sie doch nur bedeuten."[GCL] – „Nicht Dinge sieht das Auge, sondern Figuren von Dingen, die andere Dinge bedeuten."[IC] –

IC – Italo Calvino: Die unsichtbaren Städte | **EK** – Erhart Kästner: Aufstand der Dinge | **MF** – Michel Foucault: Andere Räume | **PK** – Paul Klee | **MM** – Marc Mer: !merry go(es) round – architecture stand(s) by! | **RM** – Robert Musil: Der Mann ohne Eigenschaften | **EF** – Egon Friedell: Kulturgeschichte der Neuzeit | **FP** – Francis Picabia: La Pomme de Pins | **PV** – Paul Valéry: Zur Ästhetik und Philosophie der Künste | **LW** – Ludwig Wittgenstein: Philosophische Bemerkungen | **CM** – Christian Morgenstern: Gesammelte Werke | ***MM*** – Marc Mer: Zur Architektur des Raumes | **MC** – Michel de Certeau: Kunst des Handelns | **VF** – Vilém Flusser: Vom Stand der Dinge | **FK** – Franz Kafka: Briefe an Milena | **MH** – Martin Heidegger: Die Kunst und der Raum | **KK** – Karl Kraus: Aphorismen | **WB** – Walter Benjamin: Gesammelte Schriften | **EC** – Elias Canetti: Nachträge aus Hampstead | **GCL** – Georg Christoph Lichtenberg: Sudelbücher | **CM** – Christian Morgenstern: Der Lattenzaun| **HB** – Hannes Böhringer: Orgel und Container | **CB** – Christina von Braun: Es schwindelt der Dame oder es schwindelt die Dame | **VF** – Vilém Flusser: Ende der Geschichte. Ende der Stadt? | **SD** – Salvador Dalí: Das geheime Leben des Salvador Dalí | **CS** – Charles Simic: Medici Groschengrab. Die Kunst des Joseph Cornell | **ARG** – Alain Robbe-Grillet: Die blaue Villa in Hongkong | **JS** – Jindrich Styrsky: Emilie kommt im Traum zu mir

Marc Mer, *come to be [sightseeing talks]*, Kassel 2000, literarische Stadtrauminstallation – Licht reflektierendes Schild am Bahnhof Wilhelmshöhe,
Text: ich habe es mit eigenen | Augen gesehen. eine | dame löste sich in luft | auf. einfach so. und | mehrere herren sahen zu. || christina von braun: es schwindelt der dame oder es schwindelt die dame, Foto: Matthias Weidmann. © VBK Wien.

Marc Mer

Raum allerdings – Raum zweierichs

ein rhythmisches Gedankenspiel
in Worten während Schritten mit Schritten ohne Worte dazwischen

Raum, einer mit Dingen, zudem zwei, die Beine haben und einen Mund
Raum, einer mit Dingen, zudem zwei Ich, die gehen und sprechen
Ich, ein eines
Ich, ein anderes

Ich, zwei, die gehen und sprechen
Ich, zwei, die gehen und darüber sprechen, was der Raum mit den Dingen habe
Ich, zwei, die gehen und darüber sprechen, was der Raum mit den Dingen habe, während sie so selber schon was mit denen haben und der mit ihnen

/ / im Fluss der Schritte mit Worten ein, zwei Schritte ohne Worte weiter
/ / / im Fluss der Schritte mit Worten einige Schritte ohne Worte weiter

/ / /
Mund, der sei. Raum, der sei. *Raum, der sei im Mund. Raum, der sei um Mund.* Mund, der sei einer, der Worte aus dem Raum, den der in sich habe, in den Raum, den der um sich habe, schicke.
/ / /
Raum, der sei. Raum, der sei einer. Raum, der einer sei, der sei aber nicht allein. *Raum, der einer sei, der sei einer mit Dingen.* Raum, der sei mit nur einem Ding nie. Raum, der sei mit Dingen immer. *Ding, das sei nicht nur eines. Ding, das sei eines und noch eines und immer noch eines.* / / Ding, das sei. Ding, das sei mit Ding. Dass Ding mit Ding sei, das bedinge sich so. *Dass Ding mit Ding sei, das bedinge sich von Gegenstands wegen.* / / Ding, das sei mit Ding. Mit, das sei gegen. *Ding, das mit Ding sei, das sei gegen Ding. Ding, das mit Ding sei, das sei Gegenstand, der gegen Gegenstand sei.* Gegenstand, ein erster, der sei, und Gegenstand, ein zweiter, und so weiter. *Gegenstand, ein zweiter, der sei, weil Gegenstand, ein erster, sei.*
/ / /
Zählen, das sei. Zählen, das sei im Raum. *Zählen, das sei aber keines des Raumes. Zählen, das sei seines nicht.* Zählen, das sei ihres. Zählen, das sei eines der Dinge. / / *Raum, der sei einer. Ding, das sei eines keines. Ding, das sei eines und noch eines und immer noch eines.* / / Zählen, das sei eines des Dings, das eines nicht sei. *Zählen, das sei eines des Dings, das eines nie sei. Zählen, das sei eines des Dings, das eines nicht bleiben könne.* / / Zählen, das sei eines des Dings, das zwei zumindest sei. *Zählen, das sei eines des Dings, das zwei zumindest sein müsse. Zählen, das sei eines des Dings, das zwei, das mehr, das viele sein müsse.* Zählen, das sei eines der Dinge. Zählen, das sei.
/ / /
Und, das sei. Zählen, das sei. Zählen des Und, das sei. Zählen, das komme mit dem Und. Zählen, das komme mit den Dingen. *Dinge, die seien das Und. Zählen des Und, das sei.*
/ / /
Und, das sei. Auseinander, das sei. Und, das sei im Auseinander. *Und, das sei im Auseinander und sonst nirgends. Und, das sei im Auseinander und sonst gar nicht.* / / Und, das sei im Auseinander das Nach, das Neben, das Über, das Unter, das Um, das Im, das Mit. Und, mit dem erst sei Auseinander ein Nacheinander, ein Nebeneinander, ein Übereinander, ein Untereinander, ein Umeinander, ein Ineinander, ein Miteinander. *Auseinander, das sei ohne Und nichts dergleichen.* / / Und, das sei Auseinander keines. *Und, das Auseinander keines sei, das sei ohne Auseinander keines. Auseinander, ohne das sei Und keines.*
/ / /
Auseinander, das sei. Ein Eines, das sei. Ein Anderes, das sei. *Auseinander, das sei. Auseinander der Dinge, das sei.* Auseinander, das sei eines der Dinge. Ein Eines und ein Anderes, das seien Dinge. Auseinander der Dinge, das sei. / / *Auseinander der Dinge, das sei allerdings eines, das im Auseinander des Raumes sei. Auseinander der Dinge, das sei. Auseinander des Raumes, das sei.* Auseinander der Dinge im Auseinander des Raumes, das sei. Auseinander der Dinge, das sei ohne Auseinander des Raumes keines.
/ / /
Auseinander der Dinge, das sei. Auseinander der Dinge, das sei eines von bis. Auseinander der Dinge, das sei eines zwischen. Auseinander der Dinge, das sei eines zwischen zweien. Auseinander der Dinge, das sei eines zwischen vielen. *Auseinander der Dinge, das sei eines von Ding bis Ding. Auseinander der Dinge, das sei eines zwischen Dingen. Auseinander der Dinge, das sei eines zwischen zweien.* Auseinander der Dinge, das sei eines zwischen zweien zumindest. Auseinander der Dinge, das sei eines zwischen vielen zumeist.
/ / /
Auseinander des Raumes, das sei. Auseinander des Raumes, das sei von bis keines. Auseinander des Raumes, das sei zwischen keines. Auseinander des Raumes, das sei keines von einem Einen bis zu einem Anderen. *Auseinander des Raumes, das sei eines in einem Einen. Auseinander des Raumes, das sei eines in Einem, wenn der ohne Dinge sei.*
/ / /
Auseinander der Dinge, das sei. Auseinander der Dinge, das sei nicht nur zwischen den Dingen. *Auseinander der Dinge, das sei auch schon in den Dingen. Auseinander der Dinge, das sei auch schon in einem Ding.* Auseinander der Dinge, das sei, auch wenn es in einem Ding sei, eines zwischen zweien. / / *Auseinander, das sei im Ding eines von seinem Anfang bis zu seinem Ende. Auseinander, das sei im Ding so eines.* Auseinander, das sei im Raum eines ohne Anfang und ohne Ende. Auseinander, das sei im Raum ein anderes. *Auseinander, das sei im Raum ohne Dinge ein anderes. Auseinander, das sei im Raum mit Dingen eines der Dinge.*
/ / /
Auseinander des Raumes, das sei. Auseinander der Dinge, das sei. Auseinander des Raumes und Auseinander der Dinge, die seien verschiedene. *Auseinander des Raumes ohne Dinge und Auseinander der Dinge,*

die seien verschiedene. Auseinander des Raumes mit Dingen, das sei vom Auseinander der Dinge ein verschiedenes noch immer.

/ / /

Auseinander, das sei. Auseinander der Dinge, das sei. Auseinander der Beine, das sei. *Auseinander, das sei eines der Beine. Auseinander, das sei eines zwischen Beinen. Auseinander, das sei eines im Ich.* Auseinander, das sei im Ich eines der Beine. Auseinander, das sei im Ich eines zwischen Beinen. / / *Auseinander, das sei. Auseinander, das sei eines zwischen Dingen. Auseinander, das sei eines im Ding.* Auseinander, das sei eines im Ding zwischen Dingen. Auseinander, das sei so und so und so eines. *Auseinander, das sei im Ding, das zwei Beine habe und gehen könne, so und so und so eines. Auseinander im Ich, das sei eines der Beine, die gehen. Auseinander, das sei im Gehen im Ich.*

/ / /

Auseinander, das sei im Gehen. Auseinander, das sei im Gehen wieder und wieder eines. *Auseinander, das sei im Gehen eines, das sich wiederhole. Auseinander, das sei im Gehen eines, das sich weite.* / / Auseinander, das sei. Auseinander, das sei zwischen zwei Beinen. Auseinander, das sei von Bein zu Bein. *Auseinander, das sei im Stehen nicht. Auseinander, das sei im Gehen. Auseinander, das sei zwischen zwei Beinen, die sich öffnen.* Auseinander, das sei im Stehen nicht. Auseinander, das sei im Stehen noch nicht oder nicht mehr. Auseinander, das sei im Stehen Aneinander. / / *Aneinander, das sei. Aneinander, das sei zwischen zwei Beinen. Aneinander, das sei von Bein zu Bein.* Aneinander, das sei im Gehen nicht. Aneinander, das sei im Stehen. Aneinander, das sei zwischen zwei Beinen, die sich schließen. *Aneinander, das sei im Gehen nicht. Aneinander, das sei im Gehen noch nicht oder nicht mehr. Aneinander, das sei im Gehen Auseinander.*

/ / /

Ding, das sei. Ding, das sei mit Ding. *Bein, das sei. Bein, das sei mit Bein.* Aneinander der Beine, das sei. Auseinander der Beine, das sei. *Stehen, das sei. Gehen, das sei.*

/ / /

Ding, das sei. Boden, der sei. *Boden, der sei Ding. Boden, der sei Ding, das liege. Boden, der sei Ding, das unten liege.* Boden, der sei nicht irgendein Ding, das unten liege. Boden, der sei kein Ding, das irgendwie unten liege. *Boden, der sei das Ding, das zuunterst liege. Boden, der sei das Ding, unter dem keines mehr liege.* / / Ding, das sei. Ich, das sei. *Ich, das sei Ding. Ich, das sei ein Ding, das zwei Beine habe und gehen könne.* Ding, das sei. Ding, das sei mit Ding. *Ding unter, das sei. Ding über, das sei.* Boden, der sei. Ich, das sei. / / *Ich, das sei eines, das Ding unter sich habe. Ich, das sei eines, das Boden unter sich habe.* Boden, der sei einer, der Ding über sich habe. Boden, der sei einer, der Ich über sich habe.

/ / /

Boden, von allen Dingen, die der über sich habe, gebe der dem einen mit den zwei Beinen am meisten sich hin. Boden, von allen Dingen, die der über sich habe, gebe der einem Ich am meisten sich hin. Boden, der breite einem Ich weiter sich hin als anderen Dingen. Boden, der breite einem Ich so sehr sich in die Weite, dass der das zum Gehen verleite. *Boden, der breite sich einem Ich seiner Beine wegen. Boden, der breite sich den Beinen des Ich.* Boden, der breite sich keinem Ich. Boden, der breite Beinen sich. *Boden, der breite Beinen sich, auf dass die über ihm sich öffnen. Boden, der breite Beinen sich, auf dass die gehen. Boden, der breite einem Gehen sich.* / / Ding von unten her, das sei. Boden, der sei. *Ding von oben her, das sei. Ich, das sei.* / / Boden, der gebe von allen Dingen, die der über sich habe, einem Ich am meisten sich hin. Boden, der breite von allen Dingen, die der über sich habe, einem Ich am weitesten sich hin. Boden, der breite von allen Dingen, die der über sich habe, Beinen am weitesten sich hin. / / *Ding von unten her, das sei. Boden, der sei.* Dinge von oben her, die seien. Beine, die seien.

/ / /

Ding, das sei ein Ende des Raumes. Ding, das sei für den Raum, den es um sich habe, ein Ende. Ding, das sei für den Raum, den es in sich habe, ein Anfang. Ding, das sei ein Anfang des Raumes. / / *Raum, der habe Anfang und Ende nicht. Raum, der ohne Dinge sei, der habe Anfang und Ende nicht.* Raum, der mit Dingen sei, der habe Anfang und Ende. Anfang und Ende, die seien welche der Dinge. *Anfang und Ende, die seien so allerdings auch welche des Raumes um die Dinge wie auch welche des Raumes in den Dingen.* / / Raum, der sei einer mit Dingen. Raum, der sei einer mit Boden. Boden, der sei ein Ding. *Boden, der habe Raum über sich. Boden, der habe Raum in sich auch.* / / Boden, der mache dem Raum, den der über sich habe, nach unten hin ein Ende. Boden, der mache dem Raum, den der über sich habe, von unten her einen Anfang. *Boden, der mache dem Raum, den der in sich habe, nach unten hin einen Anfang. Boden, der mache dem Raum, den der in sich habe, von unten her ein Ende.*

/ / /

Raum, der sei. Raum, der sei einer mit Dingen. *Ding, das sei. Ding, das sei eines keines. Ding, das sei eines*

und noch eines und immer noch eines. Ding, das sei viele. Raum, der sei einer. / / *Raum, der sei. Ding, das sei. Ich, das sei.* Ich, das sei eines keines. Ich, das sei eines und noch eines und immer noch eines. Ich, das sei viele. *Ich, ein eines, das sei, und Ich, ein anderes, und Ich, noch ein anderes, und immer so weiter.* / / Raum, der sei einer, der zum Ich hin ende. Raum, der sei einer, der vom Ich her anfange. *Raum, der sei einer, der zum anderen Ich hin ende. Raum, der sei einer, der zu jedem anderen Ich hin ende.* Raum, der sei einer, der vom eigenen Ich her anfange.

/ / /

Raum, der sei. Raum, der sei einer der Betrachtung. Raum, der einer der Betrachtung sei, der sei deswegen allerdings nicht selbst schon ein betrachtbarer. *Raum, der sei einer der Betrachtung der Dinge. Raum, der sei den Dingen einer der Betrachtung.* / / Raum, der sei einer, der betrachtbar mache. Raum, der sei einer, der Dinge betrachtbar mache. Raum, der sei einer, der Dingen Dinge betrachtbar mache. *Raum, der sei keiner, der sich betrachtbar mache. Raum, der sei keiner, der sich Dingen betrachtbar mache. Raum, der sei auch keiner, der sich sich betrachtbar mache.* / / Raum, der sei nicht betrachtbar. Raum, wenn der doch betrachtbar sei, dann sei der einer zwischen Dingen. Raum, wenn der doch betrachtbar sei, dann sei der einer in Dingen. *Dinge, die seien betrachtbar. Das Auseinander der Dinge, das sei betrachtbar.*

/ / /

Raum, der sei keiner, der betrachtbar sei. Raum, der sei auch keiner, der betrachte. *Dinge, die seien welche, die betrachtbar seien. Dinge, die seien auch welche, die betrachten.* / / Raum, der mache Dinge betrachtbar. Raum, der mache Dinge betrachten. *Raum, der mache Dinge Dingen betrachtbar. Raum, der mache Dinge Dinge betrachten.* Raum, der mache Ich betrachtbar. Raum, der mache Ich betrachten. *Raum, der mache Ich Ich betrachtbar. Raum, der mache Ich Ich betrachten.* / / Raum, der sei. Raum, der sei einer mit Dingen. Raum, der sei einer mit Dingen, die betrachten. *Raum, der sei einer mit Dingen, die Dinge betrachten. Raum, der sei einer mit Dingen, die sich betrachten.*

/ / /

Ding, das sei. Ding, das sei eines keines. Ding, das sei eines und noch eines und immer noch eines. *Ich, das sei. Ich, das sei eines keines. Ich, das sei eines und noch eines und immer noch eines.* Ich, das sei Ding. Ich, das sei Ding, das Ding betrachte. *Ich, das sei eines, das Ich betrachte. Ich, das sei eines, das auch sich betrachte.* / / *Betrachten, das sei ein Machen. Betrachten, das sei*

Erwin Wurm, *We watch Karin, she watches something else,* 2001, C-Print auf Aluminium, 60×45 cm.
Ausschnitt: 1 Foto aus 48-teiliger Serie. © VBK Wien.

sogar ein Machen von Dingen. Betrachten, das sei allerdings kein Machen von Dingen von Grund auf. Doch Betrachten, das mache was. / / Betrachten, das mache mit Dingen was. Betrachten, das mache aus Dingen was. *Betrachten, das sei ein Machen von Dingen aus Dingen. Betrachten, das mache aus Dingen andere.* Betrachten, das verwandle, was es betrachte. Ich, ein eines, das Ich, ein anderes, betrachte, das verwandle einen Verwandler. / / *Ich, eines, das sich betrachte, das betrachte von einem seiner Enden her seine anderen.* Ich, das könne von verschiedenen Enden her seine anderen betrachten. Ich, das könne auf verschiedene Weise von verschiedenen Enden her seine anderen betrachten. *Ich, dem sei das Ende, von dem aus es welche anderen auf welche Weise auch immer betrachte, ein jedes Mal nicht nur der Anfang seiner Betrachtung, sondern auch der Anfang seines Raumes, und zwar sowohl des Raumes, den es in sich habe, wie auch des Raumes, den es um sich habe.*

/ / /

Raum, der sei. Raum, der sei einer mit Punkten. *Raum, der sei einer mit Punkten, wenn der noch keiner mit Dingen sei.* / / Raum, der habe es mit Punkten. *Raum, der habe es mit Punkten, wenn der es mit Dingen noch nicht habe.* Raum, der mache mit Punkten was. Raum, der mache aus Punkten was. *Raum, der mache aus Punkten Dinge.* / / Punkt, aus dem mache Raum was. Punkt, aus dem mache Raum von Grund auf was. *Punkt, den mache Raum jedem Ding zum Grund. Punkt, den mache Raum jedem Ding auch ganz anders noch zum Grund.* Punkt, den mache Raum zum Boden. Punkt, den mache Raum als Boden jedem Ding zum Grund.

/ / /

Ding, das habe Punkt zum Grund. Ding, das habe Boden zum Grund. Ding, das habe auch im Boden Punkt zum Grund. *Ding, das habe Grund in sich. Ding, das habe Grund unter sich.* Ding, das habe Punkt in sich zum Grund. Ding, das habe Punkt unter sich zum Grund. *Punkt, der sei so zweimal keiner des Raumes. Punkt, der sei so zweimal einer der Dinge.* Punkt, den haben die Dinge zweimal so zum Grund. / / *Boden, der sei das Ding, das Dinge unter sich haben.* Boden, der sei das Ding, das Dinge über sich habe. / / *Boden, der sei das Ding, das den Dingen, die der über sich habe, von unten her einen Anfang mache. Boden, der sei das Ding, das den Dingen, die der über sich habe, nach oben hin einen Anfang mache.* Boden, der sei das Ding, dem die Dinge, die den unter sich haben, von oben her einen Anfang machen. Boden, der sei das Ding, dem die Dinge, die den unter sich haben, nach unten hin einen Anfang machen. / / *Stein, dem mache Boden von unten her einen Anfang. Stein, dem mache Boden nach unten hin ein Ende.* Boden, dem mache Stein von oben her einen Anfang. Boden, dem mache Stein nach oben hin ein Ende.

/ / /

Stein, der sei. Boden, der sei. Stein, der sei einer, der liege. Boden, der sei einer, der liege. *Stein, der sei vom Boden ein Stück. Boden, der mit Steinen liege, der liege mit Stücken von sich.*

/ / /

Liegen, das sei. Liegen, das sei eines keines. Liegen, das sei eines und noch eines und immer noch eines. Zusammenliegen, das sei. *Steine, die liegen, die seien. Boden, der liege, der sei. Zusammenliegen der Steine mit dem Boden, das sei.*

/ / /

Stein, der sei. Stein, der sei einer, der liege. *Stein, der liege, der sei nicht einer. Stein, der liege, der sei einer und noch einer und immer noch einer.* Stein, der liege, der sei viele. / / *Ich, das sei. Ich, das sei eines. Ich, das sei eines zwischen Steinen.* Ich, das sei eines, das gehe. Ich, das sei eines, das zwischen Steinen gehe. *Ich, das eine, das gehe zwischen Steinen, den vielen.* Ich, das sei eines, das über Boden gehe. *Ich, das eine, das zwischen Steinen, den vielen, gehe, das gehe über Boden, dem einen.* / / Stein, der liege. Stein, der liege mit Stein. *Stein, der liege mit einem und noch einem und immer noch einem. Steine, die liegen.* / / Steine, die liegen mit Steinen. Steine, die mit Steinen liegen, die liegen gegen Steine. *Steine, die nicht gegen Steine liegen, die liegen gegen Boden. Steine, die gegen Steine liegen, die liegen gegen Boden auch.* / / Ich, das zwischen Steinen gehe, das gehe zwischen Steinen nicht nur. Ich, das zwischen Steinen gehe, das greife nach Steinen auch. *Ich, das nach Steinen greife, das greife ins Liegen der Steine. Ich, das ins Liegen der Steine greife, das greife ins Zusammenliegen der Steine.* / / Ich, das sei eines, das Steine verlege. Ich, das sei eines, das Steine hin und her lege. *Ich, das sei eines, das Steine, die es aus ihrem Liegen nehme, in ein anderes Liegen bringe. Ich, das mache Steine, die liegen, anders liegen.* / / Ich, das sei eines, das Steine, die es aus ihrem Zusammenliegen nehme, in ein anderes Zusammenliegen bringe. *Ich, das mache Steine, die zusammen liegen, anders zusammen liegen.*

/ / /

Steine, die seien keine, die sich bewegen. Steine, die keine seien, die sich bewegen, die bewege Ich. *Ich, das bewege Steine. Ich, das bewege Steine, die kein Ich je*

Richard Long, *A line in the Himalayas*, 1975. © VBK Wien.

Richard Long, *Throwing stones into a circle. A six day walk in the Atlas Mountains*, Marokko 1979. © VBK Wien.

bewegt habe. / / Raum, der sei. Raum, der sei einer der Dinge. Raum, der sei einer der Steine. *Raum, der sei einer der Dinge. Raum, der sei einer der Beine.* Raum, der sei. Raum, der sei einer mit Dingen. *Raum, der sei einer mit Steinen und Beinen.* Raum, der sei einer mit Steinen und Ich.

/ / /

Stein, der sei. Stein, der sei einer, der liege. Stein, der sei keiner, der fliege. / / *Stein, der sei. Ich, das sei.* Stein, der sei einer, der fliege, wenn Ich den fliegen mache. *Stein, einer, den Ich fliegen mache, der fliege allerdings nicht weit. Stein, einer, den Ich fliegen mache, der kehre aus dem Fliegen ins Liegen schnell zurück.* / / Stein, einer, den Ich fliegen mache, den werfe Ich. Stein, einer, den Ich fliegen mache, den werfe Ich gegen ein oberes Ende des Raumes. *Stein, einer, den Ich fliegen mache, den werfe Ich gegen ein oberes Ende des Raumes, das gar keines sei. Stein, einer, den Ich fliegen mache, den werfe Ich gegen ein oberes Ende des Raumes, das nur zum Schein eines sei.* Stein, einer, den Ich fliegen mache, der kehre vom oberen Ende des Raumes, das keines sei, zum unteren Ende des Raumes, das eines sei, schnell zurück.

/ / /

Boden, der sei. Himmel, der sei. Boden, der sei unten. Himmel, der sei oben. *Doch Himmel, der sei kein Boden oben. Himmel, der sei anders als Boden.* Himmel, der sei ein illusionärer Boden. Himmel, der sei ein illusionärer Boden oben. / / *Himmel, der sei kein Ende des Raumes. Boden, der sei ein Ende des Raumes.* Himmel, der sei nur ein eingebildeter. Himmel, der sei nur ein eingebildeter Boden oben. / / Boden, der sei ein Ende des Raumes unten. Himmel, der sei kein Ende des Raumes oben. *Boden, der sei ein Ende des Raumes nach unten hin. Himmel, der sei kein Ende des Raumes nach oben hin.* / / Boden, der sei ein Anfang des Raumes von unten her. Himmel, der sei kein Anfang des Raumes von oben her.

/ / /

Raum, der sei einer mit Punkten. Raum, der einer mit Punkten sei, der sei noch keiner mit Dingen. *Punkt, der sei einer keiner. Punkt, der sei einer und noch einer und immer noch einer.* / / Raum, der habe es mit Punkten. Raum, der habe es mit Punkten, wenn der es mit Dingen noch nicht habe. Raum, der habe es mit Punkten, bevor der es mit Dingen habe. *Raum, der habe es mit Punkten, um es mit Dingen zu haben. Raum, der habe es mit Punkten, um sich Dinge daraus zu machen.* / / Raum, der sei einer mit Punkten. Raum, der einer mit Punkten sei, der sei auch schon einer mit Dingen.

Punkt, der sei schon ein Ding. Punkt, der sei von allen Dingen schon das kleinste. Punkt, der sei Ding von allem Anfang an. Punkt, der sei jeden Dings Anfang schon. / / *Anfang, der sei. Anfang, der sei keiner des Raumes.* Anfang, der sei einer des Dings. Dings Anfang, der sei Punkt.

/ / /

Punkt, aus dem mache Raum was. Punkt, aus dem mache Raum Ding. Punkt, aus dem mache Raum Stein. / / *Punkt, den bewege Raum.* Punkt, den bewege Raum hin. Punkt, den bewege Raum her. *Punkt, den bewege Raum hin und her.* Punkt, den bewege Raum in alle Richtungen hin und her. Punkt, den bewege Raum in alle Richtungen verschieden hin und her. / / *Punkt, aus dem mache Raum Ding.* Punkt, aus dem mache Raum Stein. Punkt, aus dem mache Raum Stein um Stein. *Punkte, aus denen mache Raum Steine.* / / Raum, der Punkt in alle Richtungen hin und her bewege, der mache Stein. Stein, dem mache Raum so Punkt in sich zum Grund. *Stein, dem mache Raum so Punkt unter sich zum Grund noch nicht. Stein, den mache Raum so gewissermaßen grundlos.* Stein, den mache Raum so, ohne dem einen Boden zum Grund zu machen. / / *Stein, den Raum grundlos mache, den lasse der fallen. Stein, den Raum grundlos mache, den lasse der vom Himmel fallen.* Stein, den Raum mache, ohne dass der Grund unter sich habe, den lasse der vom Himmel fallen. *Stein, den Raum mache, ohne dass der Grund unter sich habe, den lasse der vom Himmel zum Grund fallen.*

/ / /

Raum, der könne Stein aus Punkt. *Raum, der könne Stein aus Punkt mit Grund in sich nur. Raum, der könne Stein aus Punkt mit Grund in sich und unter sich.* Raum, der könne Stein, der Punkt zum Grund nur in sich habe. Raum, der könne Stein, der Punkt zum Grund in sich und unter sich habe, auch. / / *Stein, den Raum mit doppeltem Grund mache, den* löse der vom Boden. *Stein, den Raum mit Grund in sich und unter sich mache, den löse der vom Boden.* Stein, den Raum mit Grund in sich und unter sich mache, der sei Stück vom Boden.

/ / /

Raum, der mache Ding aus Punkt. Raum, der mache Ding aus Punkt schon einem. Raum, der mache Ding aus Punkt wachsen. *Raum, der mache Ding aus Punkt schon einem wachsen.* Raum, der mache Ding aus Punkt, den der wachsen mache. Raum, der mache Ding aus Punkt schon einem, den der wachsen mache. / / *Raum, der mache Ding aus Punkt, den der bewege. Raum, der mache Ding aus Punkt, den der dehne.* Raum, der mache Ding aus Punkt schon einem, den der bewege. Raum, der mache Ding aus Punkt schon einem, den der dehne.

/ / /

Dehnen, das liege den Dingen. Dehnen, das liege den Dingen zugrunde. Dehnen, das liege den Dingen im Grund. *Dehnen, das liege den Dingen im Punkt.*

/ / /

Raum, der mache Ding aus Punkt. *Raum, der mache Ding aus Punkt schon einem. Raum, der mache Ding aus Punkt mit Punkt auch.* / / Raum, der mache aus Punkt mit Punkt Wolke. Wolke, die sei aus Punkten ganz. *Wolke, die ganz aus Punkten sei, die mache Raum ihre Punkte auch wieder fallen lassen.* Regen, der sei aus Strichen ganz. Regen, der sei aus Punkten, die fallen, ganz. Punkte, die fallen, die ziehen Striche.

/ / /

Punkte, die löse Raum aus Punkten mit Punkten auch wieder. Punkte, die löse Raum aus Dingen auch wieder. Raum, der aus Punkten mit Punkten Dinge mache, der löse Punkte aus Punkten mit Punkten auch wieder. *Raum, der Punkte aus Dingen löse, der mache aus den Punkten, die der löse, Dinge.* Raum, der Punkte aus Dingen löse, der löse die Dinge, aus denen der Punkte löse, auf. / / *Tropfen, die löse Raum aus Wolken. Wolke, aus der Raum Tropfen löse, die löse der auf.* Steine, die löse Raum aus Boden. Boden, aus dem Raum Steine löse, den löse der auf.

/ / /

Punkte, die lasse Raum auf Punkte fallen. Punkte, die lasse Raum aus Punkten mit Punkten auf Punkte fallen. Raum, der Punkt auf Punkt fallen lasse, der mache Punkt mit Punkt schon wieder. Raum, der Punkt auf Punkt fallen lasse, der mache Punkt mit Punkt woanders. / / *Regen, den lasse Raum aus Wolken fallen. Regen, den lasse Raum auf Steine fallen.* Tropfen, die lasse Raum aus Wolken fallen. Tropfen, die lasse Raum auf Steine fallen. *Tropfen, die lasse Raum aus Wolken auf Steine fallen.*

/ / /

Punkt, der sei. Ding, das sei. *Punkt, der sei schon Ding.* Raum, der mache mit Punkten was. *Dinge, die machen mit Dingen was.* Raum, der mache aus Punkten was. Raum, der mache aus Punkten mit Punkten was. *Dinge, die machen aus Dingen was. Dinge, die machen aus Dingen mit Dingen was.*

/ / /

Raum, der sei. *Raum, der sei einer mit Dingen. Raum, der sei einer mit Dingen, die singen.* Dinge, die mit Dingen Dinge machen, die seien welche, die singen.

Robert Morris, *Box with the Sound of its Own Making,* 1961, Walnußholzschachtel, Lautsprecher, Klebeband 24,8×24,8×24,8 cm, Seattle Museum of Art, Seattle. © VBK Wien.

/ / *Ding, das sei.* Ding, das sei mit Ding. Ding, das mit Ding sei, das singe. *Ding, ein eines, das singe nicht. Ding, das singe nie allein.* Ding, ein eines, das mit Ding, einem anderen, sei, das singe. Ding, das singe zu zweit. *Dinge zwei, die singen.* / / Ding, das mit Ding sei, das könne Dinge. Ding, das mit Ding sei, das könne Dinge machen. *Dinge machen, das könne Ding nur mit Ding. Ding, das mit Ding Dinge mache, das singe.* Dinge zwei, die Dinge machen, die singen. / / *Ding, das sei.* Ding, das aus Ding mit Ding sei, aus dem singe Ding mit Ding.

/ / /

Punkt, der sei. Ding, das sei. Ding, das sei mit Ding. Standpunkt, der sei. *Punkt, aus dem mache Raum was. Punkt, aus dem mache Raum Ding.* Punkt, aus dem mache Raum Standpunkt nie. / / *Standpunkt, den mache Ding aus Punkt. Standpunkt, den mache Ding mit Ding aus Punkt.* Standpunkte, die machen die Dinge sich. Standpunkte, die machen die Dinge zwischen sich. / / *Standpunkt, den mache Ding, ein eines, mit Ding, einem anderen, sich.* Standpunkt, den mache Ding, das andere, mit Ding, dem einen, zugleich auch sich.

/ / /

Raum, der sei. Wachsen, das sei. Raum, der wachse nicht. Dinge, die wachsen. Mit Dingen, die wachsen, wachse der Raum in den Dingen. Mit Dingen, die wachsen, schwinde der Raum um die Dinge. *Raum, der sei um die Dinge ein einer. Raum, der sei in den Dingen kein anderer.* / / Raum, der wachse nicht. Raum, der schwinde nicht. Dinge, die schwinden. *Mit Dingen, die schwinden, schwinde der Raum in den Dingen. Mit Dingen, die schwinden, wachse der Raum um die Dinge.* Raum, der wachse nicht. Raum, der schwinde nicht. Raum in den Dingen, der wachse und schwinde. Raum um die Dinge, der schwinde und wachse.

/ / /

Raum, der sei. Punkt, der sei. Ding, das sei. Raum, der wachse nicht. Punkt, der wachse. Punkt, der wachse zum Ding. / / Raum, der wachse nicht. Raum, der mache wachsen. *Raum, der mache Punkt wachsen. Raum, der mache Punkt zum Ding wachsen.* Ding, das wachse. Ding, das wachse aus Punkt. Standpunkt, der wachse auch aus Punkt. Standpunkt, den mache Raum nicht wachsen. / / *Standpunkt, den mache Ding mit Ding wachsen. Standpunkt, den Ding mit Ding aus Punkt wachsen mache, der sei als Punkt ein falscher. Standpunkt, den Ding mit Ding aus Punkt wachsen mache, der sei Fläche.* Standfläche, die mache Ding mit Ding aus Punkt wachsen.

/ / /

Raum, der sei einer der Punkte. Punkte, die seien welche der Dinge. Dinge, die seien aus Punkten. Raum, der sei aus Punkten nicht. *Raum, der sei einer der Dinge. Raum, der einer der Dinge sei, der sei auch einer der Standpunkte.* Standpunkte, die seien welche der Dinge. *Dinge, die haben Standpunkte. Raum, der habe keine Standpunkte.*

/ / /

Raum, der sei einer der Dinge. Raum, der sei einer des Stehens. *Stehen, das sei eines der Dinge.* Dinge, die stehen. Raum, der stehe nicht. / / *Stehen, das sei eines der Gegenstände. Stehen, das sei ein Gegenstehen.* Gegenstände, die seien Gegensteher. Gegenstände, die gehen, die seien Gegengeher. / / *Raum, der sei. Ding, das sei.* Ding, das sei eines keines. Ding, das sei mit Ding. Ding, das mit Ding sei, das stehe mit Ding. *Ding, das mit Ding stehe, das stehe gegen Ding. Ding, das gegen Ding stehe, das habe Standpunkt.* / / Dass Ding mit Ding Standpunkt habe, das gehe gar nicht anders. Doch Ding, das gegen Ding stehe, das gehe deswegen noch nicht. / / *Dinge, die stehen, die seien welche, die gegen stehen. Dinge, die stehen, die seien welche, die gegen Dinge stehen.* Dinge, die stehen, die seien welche, die gegen Dinge stehen, die stehen. Dinge, die stehen, die seien welche, die gegen Dinge stehen, die gegen sie stehen. *Dinge, die gegen Dinge stehen, die gegen sie stehen, die seien noch keine, die gehen.*

/ / /

Ding, das sei. Ding, das sei eines keines. *Ding, das sei zwei. Ding, das sei eines und noch eines.* Stehen, das sei. Punkt, der sei. *Punkt, der sei im Stehen der Dinge gegen Dinge. Punkt, der sei im Stehen der Dinge gegen Dinge Standpunkt.* / / Punkt, der sei keiner, der stehe. Standpunkt, der sei keiner, der stehe. *Ding, das sei eines, das stehe.* / / Raum, der sei keiner, der stehe. Raum, der sei wohl einer, der auf Punkte stehe. *Raum, der sei aber keiner, der auf Punkten stehe. Raum, der sei allerdings auch keiner, der auf Punkten zu stehen brauche.* / / Ding, das sei eines, das stehe. Ding, das sei auch eines, das auf Punkte stehe. *Ding, das sei zudem noch eines, das auf Punkten stehen wolle. Ding, ob das auf einem Punkt aber auch stehen könne, das stehe allerdings in Frage.*

/ / Punkt, auf dem stehe Ding so ohne weiteres jedenfalls nicht. Punkt, auf dem stehe Ding nicht nur ohne weiteres Ding nicht. *Punkt, auf dem stehe Ding mit Ding auch ohne Weite nicht. Punkt, auf dem stehe Ding mit Ding, wenn der sich weite, erst.* Punkt, auf dem Ding mit Ding stehe, der sei Punkt schon keiner mehr. Punkt, auf dem Ding mit Ding stehe, der sei Fläche.

/ / /

Stehen, das sei. Punkt, der sei. Standpunkt, der sei. *Punkt, der sei keiner, der stehe. Standpunkt, der sei kein Punkt, der stehe.* Stehen auf einem Punkt, das sei im Standpunkt. *Stehen auf einem Punkt, das sei im Standpunkt eines auf einem, der zumeist schon keiner mehr sei. Stehen auf einem Punkt, das sei im Standpunkt eines auf einem, der zumeist sogar nie einer gewesen sei.* Stehen auf einem Punkt, das sei im Standpunkt nicht. Stehen auf einer Fläche, das sei im Standpunkt.

/ / /

Punkt, der sei. Punkt, aus dem mache Raum was. Punkt, aus dem mache Raum Ding. *Punkt, aus dem mache Raum Fläche nie. Punkt, aus dem mache Ding mit Ding Fläche.* Ding mit Ding, das könne Fläche. Ding mit Ding, das könne Fläche allerdings nicht nur. *Ding mit Ding, das könne Ding auch.* Raum, der könne aus Punkt Ding. *Ding, das könne aus Punkt Fläche. Ding, das könne mit Ding aus Punkt Fläche.* Ding, das könne aus Punkt auch Ding. Ding, das könne mit Ding aus Punkt auch Ding.

/ / /

Raum, der sei keiner der Fläche und einer der Fläche doch auch. Raum, der sei einer der Fläche allerdings nur am Rande. Raum, der sei einer der Fläche am Rande der Dinge nur. *Raum, der am Rande der Dinge einer der Fläche sei, der sei so einer der Fläche auch an seinem Rande.* / / Raum, der habe es mit Fläche nicht so. Raum, dem sei Fläche zu flach. *Raum, wenn der es mit einer Oberfläche habe, so habe der es mit einer Unterfläche immer auch schon. Raum, wenn der es mit Oberfläche und Unterfläche habe, so habe der es mit einer Zwischenfläche bereits vor allem.* Zwischenfläche aber, die sei schon gar keine Fläche mehr. Raum, der habe es mit Fläche nicht so. / / *Raum, wenn der es mit Fläche habe, so sei die ihm Ding schon. Raum, wenn der es mit Fläche habe, so mache der sich die zum Ding.* Fläche, mit der habe es der Raum nicht so. Fläche, die überlasse der Raum den Dingen. *Fläche, die ganz flach sei, die überlasse der Raum den Dingen.*

/ / /

Raum, der sei. Ding, das sei. *Fläche, die sei. Fläche, die sei eine der Dinge.* Fläche, die sei eine am Rand der Dinge. Fläche, die sei so auch eine am Rand des Raumes. *Fläche, die sei Schicht. Fläche, die als Schicht keine eigene sei, die sei Ding selber keines. Fläche aber, die als Schicht eine eigene sei, die sei Ding auch selber.* Fläche, die Ding sei, die sei Ding, das dünnste.

/ / /

Spitze, die sei. Spitze, die habe von allen Standpunkten

Dieter Kiessling, *Ohne Titel*, 1983,
24×11,5×11,5 cm (Maße des Gipsblocks). © VBK Wien.

den kleinsten. Wie überhaupt nur, was auf einer Spitze stehe, einen Standpunkt habe. *Spitze, nur die habe als Standpunkt einen Punkt. Was nicht auf einer Spitze stehe, das habe mit dem, worauf es stehe, schon weit mehr gemein als nur einen Punkt.* Was nicht mehr auf einer Spitze stehe, das habe statt Standpunkt Standfläche schon.
/ / /
Ding, das sei. Ding, das sei mit Ding. Ding über sei. Ding unter sei. *Boden, der sei. Block, der sei.* Stehen, das sei. Stehen, das sei eines, das nicht wie sonst eines sei. *Spitze, die sei. Strich, der sei.* Spitze, die sei anfangs eine. Spitze, die sei dann immer weniger eine. *Strich, der sei anfangs noch keiner. Strich, der sei dann immer mehr einer.* / / Block, der sei. Block, der sei einer, der auf einer Spitze stehen wolle. Block, der sei aber keiner, der auf einer Spitze stehe. *Block, der sei keiner, der auf einer Spitze stehe, die noch eine sei. Block, einer, der auf einer Spitze stehe, der stehe auf einer, die von allen Spitzen, die er habe, keine mehr sei.* Block, einer, der auf einer seiner Spitzen stehe, der habe diese eine eben schon verloren. Block, der auf einer Spitze stehe, der habe diese an die Ebene schon verloren.
/ / /
Spitze, die ziehe Strich hinter sich her. Spitze, die ziehe im Strich sich hinter sich her. Spitze, die ziehe im Strich immer mehr von sich hinter sich her. Spitze, die bleibe im Strich. *Spitze, die bleibe im Strich Spitze nicht. Spitze, die verliere sich im Strich.* Spitze, die werde Strich. / / *Strich, vor dem sei Spitze gewesen. Strich, hinter dem sei Spitze keine mehr.* Strich, bevor der sei, sei Spitze gewesen. Strich, sobald der sei, sei Spitze keine mehr.
/ / /
Block, einer, der auf einer Spitze stehe, die eine sei, der sei keiner, der stehen bleibe. Block, einer, der nicht stehen bleibe, der sei einer, der gehe. Block, einer, der gehe, der ziehe einen Strich. Block, einer, der gehe, der ziehe einen Strich hinter sich her. Block, einer, der gehe, der ziehe im Strich, was von der Spitze bleibe, hinter sich her. *Block, einer, der gehe, der sei nur einer, der gehe, weil der nicht stehe. Block, einer, der gehe, der sei einer, der nur gehe, bis der stehe.* / / Ding, das sei. Ding, das sei eines, das auf einer Spitze stehe, die keine mehr sei. *Ding, das sei eines, das auf einer Spitze* stand. Ding, das sei eines, das die Spitze, auf der es nicht stehen bleiben konnte, ins Gehen brachte. *Bis die Spitze brach. Bis die Spitze so weit brach, auf dass Ding stand.* Bis die Spitze in die Weite brach. Bis die Weite in die Spitze brach. *Bis die Weite so sehr in die Spitze brach,*

auf dass Ding stand. Ding, das sei eines, das auf einer Spitze stehe, in der die Weite sei. / / *Block, der sei einer, der in seiner Spitze, die keine mehr sei, Weite habe.* Block, der sei einer, der in allen seinen Spitzen, die noch welche seien, Weite keine habe.

/ / /

Ding, das stand, das sei keines, das stehe. Ding, das stand, das sei eines, das nicht mehr stehe. Ding, das stehe, das sei eines, das noch immer stehe. Ding, das stehe, das sei eines, das Stand habe. *Ding, das stand, das sei eines, das Stand hatte. Ding, das stehe, das sei eines, das Bestand im Stand habe.* / / Ding, das stand, das sei eines, das nicht mehr stehe. Ding, das stehe, das sei eines, das weiter stehe. / / *Ding, das weiter stehe, das sei aber keines, das in die Weite stehe. Ding, das weiter stehe, das sei eines, das länger stehe.* Ding, das länger stehe, das sei aber keines, das in die Länge stehe. *Weiter, das sei kein Mehr an Weite. Länger, das sei kein Mehr an Länge.* / / Ding, das weiter, das länger stehe, das sei keines, das wachse. *Ding, das weiter, das länger stehe, das sei eines, das, wenn es in dem, was es derart mache, überhaupt wachse, einzig in der Dauer seines Stehens wachse.*

/ / /

Ding über, das sei. Ding unter, das sei. *Ding eines sei, das stehe. Ding eines sei, das stand.* Ding unter, das sei. Ding über, das war. / / *Ding, das sei. Ding, das sei eines keines.* Ding, das sei eines und noch eines. Ding, das sei mit Ding. / / *Ding unter, das sei mit Ding über. Ding unter, das sei. Ding über, das sei gewesen.* Ding über, das sei keines mehr. Ding über, das sei mit Ding unter gewesen. / / *Ding unter, das stehe mit Ding über, das stand.* Ding, das über Ding, das stehe, stand, das stehe nicht mehr. *Ding, das unter Ding, das stand, stehe, das stehe noch.* / / Ding, das stand, das stehe nicht mehr. Ding, das noch stehe, das stehe sehr. *Ding, das noch stehe, das stehe gegen sehr. Ding, das noch stehe, das stehe gegen Ding, das nicht mehr stehe, sehr.*

/ / /

Ich, das sei. Stuhl, der sei. Beine, die seien. *Ich, das sei ein Ding, das zwei Beine habe und gehen könne.* Stuhl, der sei ein Ding, das vier Beine habe und nicht gehen könne. / / *Ich, das sei. Stuhl, der sei. Beine, die seien.* Weite, die sei. Weite, die sei eine, die Ich zwischen den Beinen habe. *Weite, die sei eine, die Stuhl auch zwischen seinen habe.* Weite, die sei eine, die Ich zwischen Beinen zwei habe. *Weite, die sei eine, die Stuhl zwischen Beinen vier habe.* Weite, die sei eine, die Stuhl zwischen den Beinen im Stehen schon habe. *Weite, die sei eine, die Ich zwischen den Beinen im Gehen*

Bruce Nauman, *The Space under My Chair,* 1966 / 68, Beton, 46 × 39 × 37 cm. © VBK Wien.

erst habe. / / Ich, das sei. Stuhl, der sei. Beine, die seien. *Enge, die sei. Enge, die sei eine, die Ich im Stehen zwischen den Beinen habe.* Enge, die sei eine, die Stuhl nie zwischen den Beinen habe.

/ / /

Weite, die sei eine, die der Stuhl schon im Stehen zwischen seinen Beinen habe. Enge, die sei eine, die der nie zwischen seinen Beinen habe. Stuhl, der sei einer, der deswegen wohl ins Gehen und in die Weite nicht komme. / / *Weite, die sei. Block, der sei. Enge, die sei.* Block, der sei einer, der die Weite zwischen den vier Beinen fülle. Block, der sei einer, der die Enge zwischen die vier Beine bringe. *Block, der sei einer, der so die Enge ins Stehen bringe. Block, der sei einer, der so die vier Beine zusammen und dann ins Gehen bringe.* / / Block, der sei einer, der stehe. Stuhl, der sei einer, der stand. *Block, der sei einer, der vom Stuhl, der stand, blieb. Block, der vom Stuhl, der stand, blieb, der sei einer, der dem, der nicht blieb, bleibe.* Block, der vom Stuhl, der stand, blieb, der sei einer, der dem, der nicht blieb, Gegenstand auch weiterhin bleibe. Block, der einem Stuhl, der nicht blieb, Gegenstand schon war, der bleibe dem Gegenstand auch weiterhin. / / *Block, der sei ein bereiter. Block, der sei ein zum Gegenstand bereiter.* Block, der bleibe einem Stuhl, der nicht blieb, zum Gegenstand bereit. Block, der bleibe bereit, dem Stuhl, der nicht blieb, Enge neuerlich zwischen die Beine zu geben. *Block, der bleibe bereit, dem Stuhl, der nicht blieb, Enge neuerlich zwischen die Beine zu geben, wenn der wieder komme.* Block, der bleibe bereit, dem Stuhl, der nicht blieb, Enge neuerlich zwischen die Beine zu geben, wenn dieser wieder über jenen komme. *Block, der bleibe Gegenstand der Luft bis dahin. Block, der bleibe Gegenstand dem Boden bis dahin.* Block, der bleibe dem Stuhl zum Gegenstand bereit bis dahin. / / *Weite, die sei eine, die zwischen Beinen stehe. Beine, die seien welche, die standen.* Beine, die noch stehen, seien keine. Weite, die sei eine, die zwischen Beinen stehe, die nicht mehr stehen. *Ding, das sei eines, das zwischen Beinen stehe, die standen. Weite, die sei eine, die zwischen Beinen stehe, die standen.* Weite, eine, die stehe, die sei Weite im Ding. Weite, eine, die stehe, die sei Weite zwischen Dingen nicht.

/ / /

Weite, die sei eine zwischen Beinen. Weite, die habe selber Beine keine. Weite, wenn die selber Beine habe, so habe Ich die zwischen seinen Beinen nicht. Weite, wenn die selber Beine habe, so habe Stuhl die auch zwischen seinen nicht. *Weite, wenn die selber Beine habe, so habe die Ich zwischen ihren Beinen. Weite,*

Egon Schiele, *Drei Männerakte,* 1910,
Bleistift und Tusche auf Papier, 18,5 × 20,3 cm, © Leopold Museum, Wien.

wenn die selber Beine habe, so habe die Stuhl zwischen ihren auch. Weite, wenn die selber Beine habe, so habe die alles, was Beine habe, zwischen ihren. Weite, wenn die selber Beine habe, so habe alles, was Beine habe, die zwischen seinen nicht.

/ / /

Standpunkt, der sei zwischen Dingen. Standpunkt, der sei Punkt keiner. Standpunkt, der sei Fläche schon. *Standfläche, die sei zwischen Dingen.* Standpunkt, der immer schon Standfläche sei, der sei zwischen Dingen. *Standpunkt, der sei zwischen Dingen einer keiner. Standpunkt, der sei zwischen Dingen zwei.* Standpunkt, der sei zwischen zwei Dingen. Standpunkt, der sei zwischen zwei Dingen zwei. / / Ding mit Ding, das mache Standpunkt einen keinen. Ding, ein eines, das mache sich mit Ding, einem anderen, Standpunkt einen, Standpunkt seinen, Standpunkt Dings des einen. *Ding, das andere, das mache sich mit Ding, dem einen, Standpunkt einen, Standpunkt seinen, Standpunkt Dings des anderen.* / / Ding, das sei. Ding, das sei eines keines. *Ding, das sei eines und noch eines.* Ding über, das sei. Ding unter, das sei. *Standpunkt, der sei. Standpunkt, der sei einer keiner.* Standpunkt, der sei einer und noch einer. Standpunkt, der sei zwei. *Ding, das über Ding stehe, das habe Standpunkt einen. Ding, das unter Ding stehe, das habe Standpunkt einen.* Im Stehen von Ding gegen Ding, darin sei ein Stehen über mit einen Stehen unter. Im Stehen über mit einem Stehen unter, darin stehe ein eines von oben her, ein anderes von unten her. *Im Stehen von Ding gegen Ding, darin habe jedes von beiden Standpunkt einen.* / / Standpunkt, der sei so, nur wie es scheine, einer. Standpunkt, der sei so, wie es sei, zwei. *Standpunkt, der sei so zwei immer. Standpunkt, der sei so zwei in einem immer.* Standpunkt Gegenstands, eines einen, über Gegenstand, einem anderen, der sei damit zugleich Standpunkt Gegenstands, des anderen, unter Gegenstand, dem einen. *Standpunkt einer, der sei jedes Mal ein gespiegelter. Standpunkt einer, der sei jedes Mal ein in sich selbst gespiegelter.*

/ / /

Ding über, das sei. Ding unter, das sei. *Ding über, das sei unter. Ding unter, das sei über.* Ding, das unter einem stehe, das sei das Ding, das über diesem stehe, und umgekehrt. *Ding, das sei. Ding, das sei eines keines.* Ding, das sei eines und noch eines. Ding, das sei zwei. / / *Sockel, der sei. Welt, die sei.* Sockel, der sei Ding, das eine. Welt, die sei Ding, das andere. *Welt allerdings, die sei Ding, ein anderes, nicht nur. Welt, die sei Dinge, alle anderen.* Welt, die sei Dinge, alle ande-

Piero Manzoni, ***Socle du monde***, 1961,
Bronze, 100 × 80 × 80 cm, Herning Kunstmuseum, Dänemark. © VBK Wien.

Erwin Wurm, *One Minute Sculpture*, 1997. © VBK Wien.

ren, bis auf das eine. *Welt, die sei Dinge, alle anderen, bis auf das eine, in einem. Welt, die sei so Ding, das andere.* Welt, die sei Dinge, alle anderen, bis auf den Sockel. Welt, die sei Dinge, alle anderen, bis auf den Sockel, in einem.

/ / /

Sockel, der sei einer, auf dem die Welt stehe. Sockel, der einer sei, auf dem die Welt stehe, der sei zugleich einer, der auf der Welt stehe. Sockel, einer, auf dem die Welt stehe, der kehre über und unter um. Sockel, einer, auf dem die Welt stehe, der müsse über und unter umkehren. *Sockel, einer, auf dem die Welt stehe, der müsse verkehrt herum stehen. Sockel, einer, auf dem die Welt stehe, der müsse verkehrt herum stehen, um richtig herum zu stehen.* Sockel, einer, auf dem die Welt stehe, dessen unteres Ende müsse nach oben stehen. Damit Welt, eine, die auf dem Sockel stehe, auf sein oberes Ende, das nach unten stehe, von unten her stehen könne. *Welt, die sei, was auf dem Boden der Welt sei. Sockel, auf dem die Welt stehe, der stehe mit auf dieser wie so zugleich auch auf sich selbst.*

/ / /

Welt, die sei. Welt, die sei eine. *Welt, die sei allerdings eine. Welt, die sei aller Dinge eine.* Welt, die eine aller Dinge sei, die sei alle Dinge in einem. *Welt, die eine aller Dinge sei, die sei aller anderen Dinge keine. Welt, die eine aller Dinge sei, die sei aller anderen Dinge in einem keine.* Welt, die sei. Welt, die sei Ding. *Welt, die sei Ding mit Ding. Welt, die sei das Ding, das mit allen Dingen sei.* Welt, die sei das Ding, das mit allen Dingen der Welt sei. Welt, die sei das Ding, das so mit sich selbst sei.

/ / /

Sockel, der sei. Sockel, der sei ein Ding. Sockel, der sei ein Ding, das auf einem stehe. Sockel, der sei ein Ding, auf dem eines stehe. *Sockel, der sei unter Dingen eines. Sockel, der sei über Dingen eines.* Sockel, der sei unter und über Dingen eines. *Sockel, der sei unter und über Dingen zugleich eines. Sockel, der sei ein Zwischending.* / / Sockel, der sei als Ding ein besonderes. *Sockel, der sei unter den Dingen ein besonderes. Sockel, der sei über den Dingen ein besonderes.* Sockel, der sei als Zwischending ein besonderes. / / *Boden, der sei selber Sockel keiner. Boden, der sei Sockel aller Dinge keiner.* Boden, der sei Sockel aller Sockel keiner. Sockel, der sei Zwischending. *Boden, der sei Zwischending nicht. Boden, der könne Zwischending nicht.* Boden, der könne Zwischending nicht sein. Boden, wenn der einer sei, unter dem kein anderes Ding mehr sei, der könne Zwischending nicht sein. *Boden, wenn der einer sei, der von allen Dingen zuunterst liege, der* könne

Zwischending nicht sein. Boden, jeder aber, der nicht zuunterst liege, der könne Zwischending sein. / / *Boden, der könne Sockel nicht. Sockel, der könne Boden immer.* Boden, der sei ein Sockel nicht. Boden, ein unterster, der sei ein Sockel nicht. *Sockel, der sei ein Boden immer. Sockel, der sei ein Boden über einem Boden immer.* Sockel, was auf dem stehe, das stehe auf einem doppelten Boden immer.

/ / /

Sockel, der sei unter den Dingen ein besonderes. Sockel, der sei über den Dingen ein besonderes. Sockel, der sei Ding über Ding. Sockel, der sei Ding unter Ding. *Sockel, der sei Ding über und unter Ding zugleich.* Sockel, der sei Zwischending. *Zwischending, das sei ein besonderes Ding.* Zwischending, was das könne, das sei so besonders allerdings gar nicht. Zwischending, das könne jedes Ding. *Orange, die könne Zwischending. Orange, die könne Sockel.*

/ / /

Raum, der sei. Ding, das sei. *Ding, das sei eines keines. Raum, der sei einer.* Raum, der sei einer mit Dingen. Raum, der sei einer mit Orangen, mit Boden, mit Ich. *Orange, die sei. Orange, die Sockel könne, die sei.* Orange, die Sockel könne, die sei eine keine. Orange, die Sockel könne, die sei eine und noch eine und immer noch eine. *Orange, die Sockel könne, die sei viele.* Boden, der sei. Ich, das sei. Orange, die sei. *Boden, der sei einer. Ich, das sei eines. Orange, die sei viele.* / / Orange, die sei unter. Orange, die sei über. *Ich, das sei über. Boden, der sei unter.* Boden, der sei unter unter. Ich, das sei über über. *Ich, das sei über Orangen über Boden. Boden, der sei unter Orangen unter Ich.* / / Orange, die Sockel könne, die könne einen runden nur. *Orange, die Sockel könne, die könne nur einen, der auf einem Punkt stehe. Orange, die Sockel könne, die könne keinen, der anders stehe.* Orange, die Sockel könne, die könne nur einen, der sich bewege. / / *Ich, eines, das über runden Sockeln liege, das sei eines, das sich bewege. Boden, einer, der unter runden Sockeln liege, auch der sei einer, der sich bewege.* Sockel, ein runder, selbst wenn der sich nicht bewege, so bewege der, was über ihm sei. Sockel, ein runder, selbst wenn der sich nicht bewege, so bewege der, was unter ihm sei.

/ / /

Raum, der sei. Raum, der sei einer der Dinge. Raum, der sei einer der Betrachtung. Raum, der sei einer der Betrachtung der Dinge. *Betrachtung, die mache mit den Dingen was.* / / Sockel, ein runder, selbst wenn der sich nicht bewege, so bewege der sich doch. Betrachtung, die mache Sockel, einen runden, jedenfalls sich bewegen. *Betrachtung, die bewege Sockel, einen runden, ob der nun selbst sich bewege oder nicht. Betrachtung, die bewege mit dem Sockel, den sie bewege, zudem zugleich was über dem sei wie auch was unter dem sei.* Raum allerdings, der bewege sich nicht. Dinge, die bewegen sich. *Doch Dinge, die bewegen, wenn sie sich bewegen, Raum auch.* / / Dinge, die bewegen, wenn sie sich bewegen, den Raum, den sie um sich und in sich haben. Dinge, die bewegen, wenn sie Dinge bewegen, sich und die Dinge, die sie bewegen. *Dinge, die bewegen, wenn sie Dinge bewegen, den Raum, den diese um sich und in sich haben, und den Raum, den sie selbst um sich und in sich haben.*

/ / /

Raum, der sei. Raum, der sei einer mit Dingen. *Raum, der sei einer mit doppeltem Boden. Raum, der sei einer mit doppeltem Boden und Mann.* / / Boden, der sei. Boden, der sei einer keiner. *Boden, der sei einer und noch einer.* Boden, ein erster, der sei. Boden, ein zweiter, der sei. *Boden, ein doppelter, der sei.* Sockel, der sei. Sockel, der sei einer wie sonst keiner. / / *Gehen, das sei. Gehen, das sei eines wie sonst keines.* Gehen, das sei eines, das gehe und doch nicht gehe. Gehen, das sei eines, das gehe und doch stehe. *Gehen, das sei auf zweitem Boden eines wie sonst keines.* Gehen, das sei auf zweitem Boden eines, das gehe und doch nicht gehe. Gehen, das sei auf zweitem Boden eines, das gehe und doch stehe.

/ / /

Boden, der sei. Sockel, der sei. Mann, der sei. Mann, der sei wie sonst einer und doch wie sonst keiner. *Mann, der sei auf erstem Boden wie sonst einer. Mann, der sei auf zweitem Boden wie sonst keiner.* Mann, der wie sonst einer sei, der sei auf einem Sockel wie sonst keiner. Mann, der sei keiner, der auf einem Sockel stehe. *Mann, der sei einer, der auf einem Sockel gehe. Mann, der sei einer, der auf einem Sockel gehe und gehe und doch stehe.* Mann, der sei einer, der auf einem Sockel die Weite zwischen seine Beine nehme und doch in die Weite nicht komme. *Mann, der sei einer, der auf doppeltem Boden gehe. Mann, der sei einer, der auf doppeltem Boden gehe und gehe und doch nur stehe.*

/ / /

Sockel, sei der wie sonst einer, so sei der als doppelter Boden ein kurzer. Sockel, sei der wie sonst einer, so sei der als doppelter Boden schnell zu Ende. *Mann, gehe der auf einem Sockel, der wie sonst einer sei, so gehe der bis zu seinem Ende nicht lang.* Mann, gehe der auf einem Sockel, der wie sonst einer sei, übers Ende hinaus, so falle der. Mann, gehe der auf einem Sockel, der

Christian Hasucha, ***Herr Individual geht***, Frankfurt am Main, Mann über Betonsockel mit integriertem Laufband, 240 × 100 × 80 cm. Mehrstündige Aktion, vier Wochen lang, täglich um die Mittagszeit. Realisierungen seit 1987 in Berlin, Köln, Pécs und Frankfurt am Main. © VBK Wien.

wie sonst einer sei, übers Ende hinaus, so falle der vom zweiten Boden auf den ersten. *Sockel, sei der nicht wie sonst einer, so könne der als doppelter Boden ein langer sein. Sockel, sei der nicht wie sonst einer, so könne der als doppelter Boden auch gar nicht zu Ende gehen.* / / Mann, gehe der auf einem Sockel, der derart nicht wie sonst einer sei, so gehe der bis zu seinem Ende nicht nur lang. Mann, gehe der auf einem Sockel, der derart nicht wie sonst einer sei, so gehe der und gehe, ohne an sein Ende je zu gelangen. *Mann, gehe der auf einem Sockel, der derart nicht wie sonst einer sei, so könne der über dessen Ende hinaus gar nicht gehen.*
/ / /
Boden, auf dem Mann gehe, der sei einer, der trage. Boden, auf dem Mann gehe, der sei zugleich einer, der trüge. *Boden, auf dem Mann gehe, der sei einer, der sich bewege. Boden, auf dem Mann gehe, der sei einer, der sich dem entgegen bewege.* Genau so sehr, dass der ans Ende des Bodens nicht komme. Genau so sehr, dass der überhaupt nicht weiter komme. *Genau so sehr, dass der, obschon der gehe, stehe. Genau so sehr, dass der stehe, so viel der auch gehe.* / / Mann, gehe der auf einem Sockel, der derart nicht wie sonst einer sei, so stehe der. *Mann, gehe der auf einem Sockel, der derart nicht wie sonst einer sei, nicht mehr, so stehe der nicht mehr nur. Mann, gehe der auf einem Sockel, der derart nicht wie sonst einer sei, nicht mehr, so gehe der im Stehen gar zurück.* Mann, gehe der auf einem Sockel, der derart nicht wie sonst einer sei, nicht mehr, so gehe der im Stehen gar übers Ende des Bodens hinter ihm hinaus und falle. / / *Mann auf einem Sockel, der derart nicht wie sonst einer sei, der müsse gehen, um zu stehen. Mann auf einem Sockel, der derart nicht wie sonst einer sei, der müsse gehen, um nicht zu fallen.* Mann auf einem Sockel, der derart nicht wie sonst einer sei, der müsse gehen, um nicht hinterrücks zu fallen.
/ / /
Boden, der sei. Boden, der sei einer, der sich bewege. Boden, der einer sei, der sich bewege, der sei einer, der betrüge. Boden, der sich bewege, der betrüge Beine. *Boden, der sich bewege, der betrüge Beine um die Weite.* Um die Weite zwischen ihnen. Um die Weite um sie. *Um die Weite, in die der sie tragen könne. Um die Weite, in die sie auf ihm ihr Ich tragen können.* Boden, einer, der sich bewege, der betrüge Beine. Boden, einer, der sich nicht bewege, der betrüge Beine keine.
/ / /
Raum, der sei. Ding, das sei. Weite, die sei. Raum, in dem sei Weite. Ding, in dem sei Weite auch. *Ding, in dem sei Weite vom Anfang bis zum Ende. Ding, in dem*

sei Weite so. Raum, in dem sei Weite anders. Raum, in dem sei Weite ohne Anfang und ohne Ende. *Raum, der habe Anfang keinen. Raum, der habe Ende keines.* Raum, wenn der ohne Dinge sei, habe der Anfang keinen und Ende keines. *Ding, das habe Anfang einen und Ende eines. Raum, wenn der mit Dingen sei, so habe der Anfang und Ende.* Weite, die sei. Weite, die sei im Gehen. *Weite im Gehen, die sei eine mit Anfang und Ende.* Weite im Gehen, die sei eine des Dings. Weite im Gehen, die sei eine zwischen Dingen.

/ / /

Weite, die sei eine zwischen zwei. Weite der Dinge, die sei eine zwischen zwei. Weite im Ding, die sei eine zwischen zwei. Weite im Ding, die sei wie Weite zwischen Dingen. *Gehen, darin wechsle Weite mit Enge nicht. Gehen, darin füge Schritt für Schritt Weite an Weite.* Enge, die kehre erst im Stehen zwischen die Beine zurück. Stehen, bis zu dem sei Enge zwischen den Beinen keine. *Bein, das sei. Bein, das sei mit Bein. Bein, das sei mit Bein im Stehen. Bein, das sei mit Bein im Gehen.*

/ / /

Ich, das Enge zwischen seine Beine bringe, das mache aus einem Standpunkt zwei. Ich, das Weite zwischen seine Beine bringe, das mache aus zwei Standpunkten einen. *Ich im Gehen, das stehe immer nur auf einem Standpunkt. Ich im Gehen, das stehe immer nur auf einem Standpunkt, der allerdings einer nicht bleibe.* Ich im Gehen, das stehe immer nur auf einem Standpunkt, der einer und noch einer und immer noch einer sei. Ich im Gehen, das stehe immer nur auf einem Standpunkt, der einer und noch einer und immer noch einer niemals zugleich sei. *Ich im Gehen, das stehe immer nur auf einem Standpunkt, der einer und noch einer und immer noch einer nacheinander sei und stets woanders. / /* Ich, das stehe, wenn es gehe, immer nur auf einem Bein. Ich, das stehe nur, wenn es stehe, auf zwei Beinen. *Ich, das Zweibein, sei, wenn es gehe, ein Einbein, das stehe. Ich, der Zweibeingeher, sei ein Einbeinsteher. / /* Bein, das sei. Bein, das sei eines und noch eines. *Bein, das sei mit Bein. Stehen, das sei. Standpunkt, der sei zwei.* Bein, das sei. Bein, das sei mit Bein. *Bein, das sei eines und noch eines und immer noch eines.* Gehen, das sei. Standpunkt, einer, der sei einer. Standpunkt, einer nach dem anderen, der sei.

/ / /

Ich, das sei. Spitze, die sei. Spitze, die sei eine und noch eine. Ich, das sei eines, das auf Spitzen stehe. Ich, das sei eines, das auf seiner Beine Spitzen stehe. *Ich, das sei eines, das auf zwei Spitzen stehe. Ich, das sei eines, das auf einer Spitze gehe.* Ich, eines, das auf zwei Füßen

Marc Mer, ***THE URBAN APPLE-TREE SERIES – pollockdegas girl.car dance.things // white writing's textual girl***, Lüdenscheid 2005, polytopische Stadtrauminstallation – Verkehrsschilder mit Textzitaten, weiße Fahrspuren, Tänzerin // Performance im Parkhaus Museen der Stadt, Tänzerin: Erika Winkler, Filmstill: Felix Kruis. © VBK Wien.

stehe, das stehe. Ich, eines, das auf einem Fuß stehe, das gehe. / / *Fuß, der sei. Fuß, der sei Beins Spitze.* Fuß, der Beins Spitze sei, der sei für sich so spitz doch nicht. Fuß, der sei aber einer, der sich spitzen lasse. *Ich im Tanzen, das spitze seine Füße. Ich im Tanzen, das berühre Boden nur noch Punkt für Punkt.*

/ / /

Ding, das sei. Ding, das sei eines keines. *Ding, das sei eines und noch eines. Ding, das sei mit Ding.* Ding, ein eines, das sei. Ding, ein anderes, das sei. *Ding, das eine, das sei eines, das Ding, das andere, über sich habe. Ding, das andere, das sei so eines, das Ding, das eine, unter sich habe.* Ich, das sei. Boden, der sei. *Boden, der sei Ding. Boden, der sei Ding, das Ding über sich habe.* Boden, der habe Ich über sich. Ich, das sei Ding. *Ich, das sei Ding, das Ding unter sich habe. Ich, das habe Boden unter sich.*

/ / /

Fuß, der sei. Fuß, der sei einer, der gründe. *Fuß, der sei einer, der Grund habe. Fuß, der sei einer, der Grund unter sich habe.* Fuß, der sei einer, der Grund habe, Grund unter sich zu haben. Fuß, der sei einer, der falle, wenn der keinen Grund unter sich habe. *Fuß, der sei so einer, der sich seines Grundes versichere. Fuß, der sei einer keiner.* Fuß, der sei einer, der zu zweit sei. Fuß, der sei einer und noch einer. *Fuß, der sei einer, der sich mit noch einem des Grundes, den er unter sich habe, versichere. Fuß, der sei einer, der sich mit noch einem eines Grundes versichere, den beide unter sich haben.* / / Ding, das sei. Ding, das sei eines keines. *Ding, das sei eines und noch eines. Ding, das sei zwei.* Ding, das sei zwei zumindest. *Boden, der sei. Ich, das sei.* Ich, das sei eines, das sich spitze. *Ich, das sei eines, das auf zwei Spitzen stehe. Ich, das sei eines, das auf einer Spitze gehe.*

/ / /

Punkt, der sei. Punkt, der sei mit Punkt. *Gehen, das sei.* Punkt, aus dem mache Gehen was. Punkt, aus dem mache Gehen Strich. *Gehen, das sei. Gehen, das sei ein spitzes.* Gehen, das sei eines auf Spitzen. Gehen, das sei eines auf spitzen Beinen. / / Punkt, der sei. *Punkt, der sei im Gehen. Punkt, der sei im Strich.* Punkt, der sei einer keiner. Punkt, der sei einer und noch einer und immer noch einer. *Punkt, der sei im Gehen einer keiner. Punkt, der sei im Gehen einer und noch einer und immer noch einer.* Punkt, der sei im Strich einer keiner. Punkt, der sei im Strich einer und noch einer und immer noch einer.

/ / /

Strich, der sei. Strich, der sei einer, den das Gehen ziehe. Strich, den ziehe das Gehen hinter sich her. Strich, den

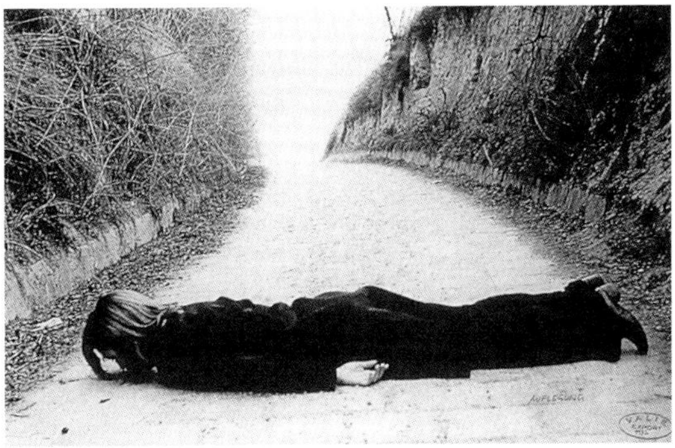

VALIE EXPORT, ***Auflegung***, 1972, Schwarzweißfoto, Edition 3/3, 40 × 61 cm, Besitz der Künstlerin. © VBK Wien.

Richard Long, ***A line made by walking***, England 1967. © VBK Wien.

ziehe das Gehen hin. Strich, den ziehe das Gehen her. *Strich, den ziehe das Gehen auf einem Boden hin. Strich, den ziehe das Gehen auf einem Boden her.* Strich, den ziehe das Gehen im Hin und Her tiefer. *Strich, den ziehe das Gehen auf einem Boden nicht nur. Strich, den ziehe das Gehen in einen Boden.* Strich, einer, den das Gehen in den Boden ziehe, der ziehe auch das Gehen in den Boden. Strich, einer, den das Gehen tiefer ziehe, der ziehe auch das Gehen in die Tiefe. *Mit jedem Hin und Her mehr und mehr.*

/ / /

Strich, der sei. Strich, der sei nicht immer einer, der in die Tiefe gehe. *Strich, einer, der nicht immer in die Tiefe gehe, der sei doch immer einer, der in die Länge gehe.* Strich, einer, der gehe, ob in die Länge nur oder in die Tiefe auch, der sei immer nur einer, der zu gehen scheine. Strich, der selber, der gehe nicht. *Strich, der selber, sei keiner, der gehen könne. Strich, der selber, sei allerdings einer, der gegangen werden könne.* Strich, der selber, sei jedenfalls einer, der gegangen werden könne. *Strich, der selber, sei keiner, der gehen könne wie ein Ich. Strich, der selber, sei aber einer, der gegangen werden könne von einem Ich.*

/ / /

Strich, der sei. Strich, der sei ein langer. *Strich, der sei ein langer, selbst wenn der ein kurzer sei. Strich, der sei ein langer Punkt.* Strich, der sei einer, der Punkt, aus dem der stamme, lang mache. Strich, der sei zugleich einer, der Punkt mit Punkt mache. *Strich, der sei einer, der Punkt, aus dem der stamme, lang mache, indem der Punkt mit Punkt mache.* / / Raum, der sei. Raum, der sei einer, der auf Punkte stehe. *Raum, der sei einer, der auf Strich stehe. Raum, der sei einer, der Punkt für Punkt auf Strich stehe.* Raum, der sei einer, der es mit Punkten habe. Raum, der sei einer, der es mit dem Strich habe. *Raum, der sei einer, der es im Strich mit den Punkten habe. Raum, der habe es im Strich mit jedem Punkt.* Raum, der habe es im Strich neben dem ersten Punkt, mit dem er es von Anfang her habe, mit allen, die auf den folgen, auch. Raum, der habe es im Strich vom ersten bis zum letzten Punkt mit jedem.

/ / /

Strich, der sei. Boden, der sei. Strich, der sei ein tiefer nicht immer. Boden, der sei ein tiefer nicht immer. *Boden, der zuunterst liege, der sei ein tiefer immer. Boden, der zuunterst liege, der sei sogar ein ungeheuer tiefer.* Boden, jeder, der nicht zuunterst liege, der sei so ein tiefer niemals mehr. Boden, jeder von den vielen, die nicht zuunterst liegen, der sei ein dünner. *Boden, manch einer von den vielen, die nicht zuunterst liegen,*

Lucio Fontana, *Concetto spaziale, Attesa*, 1965, Dispersionsfarbe auf Leinwand und lackiertes Holz, weiß und weiß, 118 × 91 cm. © VBK Wien.

der sei sogar ein ungeheuer dünner. / / Boden, der sei. Strich, der sei. *Boden, der sei ein dünner. Strich, der sei ein tiefer.* Strich, einer, der im Boden, einem dünnen, sei, der könne, so lange der nur darin sei, ein tiefer allerdings noch nicht sein. *Spitze, die sei. Schnitt, der sei. Schlitz, der sei.* Spitze, die sei eine so spitze, dass die Strich, den tiefen, nicht nur in Boden, den dünnen, ziehe. Spitze, die sei eine so spitze, dass die Strich noch tiefer ziehe. *Spitze, die sei eine so spitze, dass die Strich, den tiefen, unter Boden, den dünnen, ziehe. Spitze, die sei eine so spitze, dass die Strich durch Boden, den dünnen, ganz hindurch ziehe.* Spitze, die so spitze, die mache nicht nur Strich. Spitze, die so spitze, die mache Schnitt. *Spitze, die so spitze, die mache Schlitz.*

/ / /

Raum, der sei. Raum, der sei im Boden. *Raum, der sei im Boden, dem tiefen. Raum, der sei im Boden, jedem dünnen, auch.* Raum, der sei im Boden, jedem dünnen, allerdings selber nur ein dünner. *Raum, der sei im Schnitt. Raum, der sei im Schlitz.* / / Raum, der sei im Bild nicht. *Raum, der sei im Schnitt ein tiefer. Raum, der sei im Schlitz ein tiefer.* Raum, der sei im Bild ein tiefer nicht. Raum, der sei im Bild ein dünner nicht. *Bild, das sei dünner noch als jeder Boden.* Raum, der sei im Boden, dem dünnen, ein dünner. Raum, der sei im Bild, das dünner noch als jeder Boden sei, noch nicht einmal ein dünner. / / *Raum, der sei vor dem Bild. Raum, der sei hinter dem Bild.* Raum, der sei von Bild bis Bild. Raum, der sei zwischen Bildern. *Raum, der sei im Bild nicht.* Raum, der sei im Schnitt im Bild. Raum, der sei im Schlitz im Bild. *Raum, der sonst wo im Bild sei, der sei nur einer zum Scheine. Raum, der sei sonst nirgends im Bild.*

/ / /

Bild, das sei. Bild, das sei keines wie sonst eines. *Bild, das sei eines und doch keines.* Bild, das sei keines wie sonst eines, das ein Boden trage. Boden, der sei. *Boden, der sei wie sonst einer, der ein Bild trage. Boden, der wie sonst einer sei, der ein Bild trage, der sei allerdings einer, der Bild keines trage.* Boden, einer, der Bild keines trage, der sei das Bild. Boden, einer, der Bild keines trage, der selber sei das Bild, das der nicht trage. *Bild, das wie sonst keines sei, das sei Boden nur. Bild, das wie sonst keines sei, das sei Boden nur mit Schlitz.* Bild, das wie sonst keines sei, das sei Boden nur mit Raum im Schlitz.

/ / /

Strich, der sei. Strich, der sei einer. Strich, der einer sei, der mache zwei. Strich, der einer sei, der mache aus einem zwei. *Strich, der einer sei, der mache aus allem*

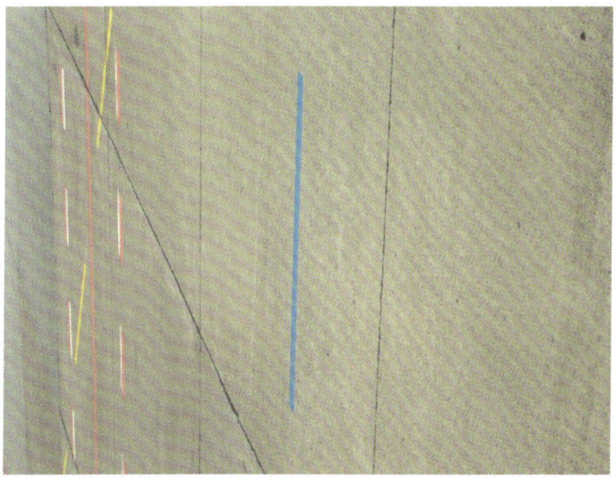

Marc Mer, *found ground [long line series]*, 2009, digitale Fotografie, 75 x 100 cm. © VBK Wien.

zwei. Strich, der einer sei, der mache nur aus sich zwei nicht. Strich, der mache zwei. *Strich, der mache ein Diesseits. Strich, der mache ein Jenseits.* Strich, der mache dem Diesseits das Jenseits nebenbei. *Strich, der mache das Jenseits, während er das Diesseits mache. Strich, der mache Diesseits und Jenseits nebenbei zugleich.*

/ / /

Strich, der könne zwei. Strich, der könne eins nicht. *Zwei machen, das könne Strich.* Zwei machen, nur das könne Strich. Eins machen, das könne kein Strich. *Zwei machen, das könne jeder Strich.* Eins machen, das könne Strich einer nicht. Eins machen, das könne Strich mit Strich. *Eins machen, das können Striche zwei.* Eins, das machen zwei zwischen sich. Zwei, das mache einer neben sich. *Zur einen Seite eins. Zur anderen Seite eins.* / / Strich, einer, der mache zwei. *Strich, einer, der mache ohne sich zwei neben sich. Strich, einer, der mache mit sich drei.* Striche zwei, die machen eins. Striche zwei, die machen ohne sich eins zwischen sich. *Striche zwei, die machen mit sich drei.* Striche zwei, die machen mit sich drei ohne neben sich. Striche zwei, die machen fünf mit sich und neben sich.

/ / /

Strich, der sei. Strich, der sei einer. Strich, der sei einer, der kein gerader sei. Strich, der sei einer, der sich krümme. *Strich, der sei einer, der sich so krümme, dass der in seinem Anfang auch sein Ende mache.* Strich, der sei. Strich, so einer, der sei. *Strich, so einer, der mache Draußen, eins. Strich, so einer, der mache Drinnen, eins.* Strich, so einer, der mache einem Draußen ein Drinnen nebenbei. Strich so einer, der mache umgekehrt zugleich einem Drinnen ein Draußen nebenbei. *Strich, der sei. Strich, so einer, der sei.* Strich, so einer, der ein Draußen mache, das ein Drinnen mache, der sei zugleich auch so einer, der ein Drinnen mache, das ein Draußen mache. *Strich, der sei so jedenfalls einer, der nur ein Drinnen oder ein Draußen zu machen brauche.*

/ / /

Strich, der sei. Strich, der sei einer. *Strich, der sei einer, der nicht nur zwei könne. Strich, der sei einer, der viele könne.* Strich, der sei einer, der Drinnen nicht nur eines mache. Strich, der sei einer, der Drinnen viele mache. *Strich, der sei einer, der einem Drinnen noch eines und immer noch eines dazu mache.* / / Draußen, das sei. Drinnen, das sei. *Draußen, das sei eines. Drinnen, das sei viele.* Drinnen, das sei eines und noch eines und immer noch eines. Drinnen, das viele sei, das sei zugleich doch auch eines nur. *Drinnen, das sei im Nebeneinander viele. Drinnen, das sei im Nacheinander eines.*

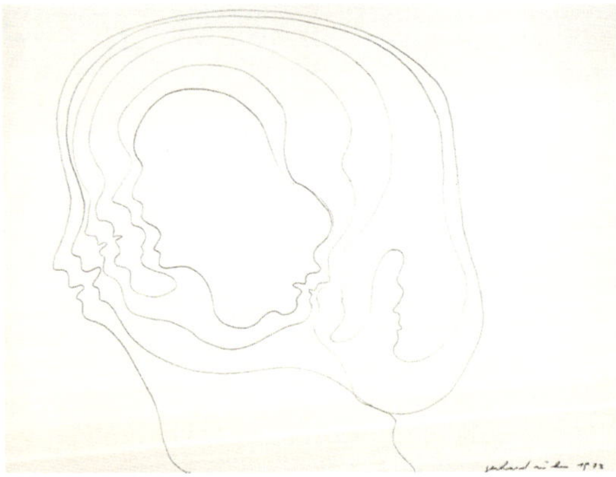

Gerhard Rühm, *Ohne Titel,* 1973, 29,5 × 40 cm. © Courtesy Christine König Galerie, Wien/Vienna.

/ / Strich, einer, der zwei und viele könne, der sei einer, der sich krümme. Strich, einer, der zwei und viele könne, der sei einer, der sich so krümme, dass der sein Ende nicht in seinem Anfang mache. *Strich, einer, der zwei und viele könne, der sei einer, der sich umrunde.*

/ / /

Strich, der sei einer, der Gesichter mache. Strich, der sei einer, der Gesicht nicht nur eines mache. *Strich, der sei einer, der Gesichter viele mache. Strich, der sei einer, der ein Gesicht nach dem anderen mache.* Strich, der sei einer, der die Gesichter, die der nacheinander mache, umeinander mache. / / *Strich, so einer, der spreche. Strich, so einer, der spreche mit sich.* Strich, so einer, der spreche, wenn der mit sich spreche, mit vielen. Strich, so einer, der spreche, wenn der mit sich spreche, mit vielen Gesichtern. *Strich, so einer, der spreche, wenn der mit sich spreche, in vielen Gesichtern. Strich, so einer, der spreche, wenn der auch in noch so vielen Gesichtern spreche, mit sich selber immer.* / / Strich, einer, der mit sich spreche, der sei ein monologischer. Strich, einer, in dem viele Gesichter miteinander sprechen, der sei ein polylogischer. *Strich, einer, der in vielen Gesichtern mit sich selber spreche, der sei als monologischer ein polylogischer.*

/ / /

Strich, einer, der Gesichter mache, der mache solche allerdings nur zum Scheine. *Strich, einer, der Gesichter mache, der mache nur scheinbar welche. Strich, einer, der Gesichter mache, die nur scheinbar welche seien, der mache Krümmungen nur, die denen von Gesichtern gleichen.* Strich, einer, der Gesichter mache, die nur scheinbar welche seien, der sei so auch einer, der nur scheinbar in solchen spreche. Strich, einer, der Krümmungen mache, die denen von Gesichtern gleichen, der spreche in denen nicht, wie Gesichter sprechen. *Strich, einer, der in Krümmungen, die denen von Gesichtern gleichen, nicht spreche, wie Gesichter sprechen, der sei dennoch einer, der in denen spreche.*

/ / /

Strich, der sei. Boden, der sei. *Strich, der sei tiefer keiner. Boden, der sei tiefer keiner.* Strich, der tiefer keiner sei, der sei einer keiner. *Strich, tiefer keiner, der sei einer und noch einer und immer noch einer. Strich, tiefer keiner, der sei viele.* Strich, so einer, der mache mit Strich, noch so einem und immer noch so einem, ein Meer Striche. Strich, so einer, der mache mit Strich, noch so einem und immer noch so einem, Meer nicht. *Meer, das sei mehr als Strich mit Strich. Meer, das sei mehr, als Strich mit Strich machen könne.* Meer, das sei viel mehr, als Strich mit Strich machen könne. Meer, das

Piet Mondrian, *Das Meer*, ca. 1914,
Bleistift auf Papier, 10 × 17 cm. Gemeentemuseum Den Haag
© 2012 Mondrian/Holtzman Trust c/o HCR International USA.

sei ungeheuer viel mehr, als Strich mit Strich machen könne. *Strich, der mache mit Strich ein Meer nicht. Strich, der mache mit Strich ein Meer nur zum Scheine.* Strich, der mache mit Strich ein Meer Striche. Strich, der mache mit Strich mehr nicht.

/ / /

Meer, das sei. Bild, das sei. Bild vom Meer, das sei. *Raum, der sei. Raum im Meer, der sei.* Raum im Bild vom Meer, der sei keiner mehr. Raum im Bild vom Meer, der sei nur noch einer zum Scheine. *Strich, der sei. Strich, der sei viele.* Strich, ein flacher, der sei viele. Strich, ein flacher, der sei auf dünnem Boden viele. *Ein Meer flacher Striche auf dünnem Boden, das sei. Ein Meer flacher Striche auf dünnem Boden, das sei Meer keines.* Ein Meer flacher Striche auf dünnem Boden, das sei ein Meer nur zum Scheine.

/ / /

Meer, das sei. Ein Meer Striche, das sei. *Raum, der sei. Raum, der sei einer der Betrachtung.* Raum, der sei einer der Betrachtung eines Meeres. Raum, der sei einer der Betrachtung eines Meeres von Strichen. *Ich, das sei. Ich, das sei eines, das betrachte.* Ich, eines, das betrachte, das sei eines und noch eines. *Ich, welches ein Meer betrachte, schon das sei eines, das nur einen Schein vom Meer betrachte. Ich, welches ein Meer Striche betrachte, das sei gar aber eines, das nur noch einen Schein vom Schein vom Meer betrachte.* Ich, welches ein Meer betrachte, schon das sei keines, das den Raum im Meer betrachte. Ich, welches ein Meer betrachte, das betrachte gleichwohl immerhin noch was, in dem Raum sei. *Ich, welches ein Meer Striche betrachte, das hingegen betrachte was, in dem Raum gar keiner mehr sei.*

/ / /

Raum, der sei. Raum, der sei einer mit Dingen. *Raum, der sei einer mit Ich und Strich. Raum, der sei einer mit Ich und Strichen.* Ich, das sei. Strich, der sei. *Strich, der sei im Ich.* Strich, der sei einer, den Ich nicht erst im Gehen ziehe. Strich, der sei einer, den Ich im Gehen nicht erst hinter sich her ziehe. *Strich, der sei einer, den Ich nicht hinter sich habe. Strich, der sei einer, den Ich in sich habe.* Strich, der sei schon im Ich. Strich, der sei schon im Ich, auch wenn es nicht gehe. *Strich, der sei schon im Ich, wenn es noch nicht einmal stehe. Strich, der sei schon im Ich, wenn es nur liege.*

/ / /

Ich, das sei Strich in sich. Ich, das sei aus Strichen ganz. *Ich, das habe Strich im Bein. Ich, das habe Strich im Arm. Ich, das habe Strich im Kopf.* Ich, das sei aus Strichen ganz. *Ich, das mache aus seinen Strichen was.*

Antony Gormley, ***Space***, 1985
Schwarzes Pigment auf Papier, 34×26 cm. © the Artist

Ich, aus Strichen ganz, das mache seine Striche sich strecken. Ich, das mache seine Arme lang. Ich, das mache seine Beine lang. Ich, das mache seinen Kopf lang. *Ich, das mache seine Striche sich strecken. Ich, das seine Striche sich strecken mache, das strecke sich.* Ich, das sich strecke, das schicke seine Striche in den Raum. Ich, das sich strecke, das schicke sich in den Raum. / / *Strich, der sei im Ich, ob es gehe oder nicht. Strich, der sei im Ich, wenn es stehe. Strich, der sei im Ich, wenn es stehe, einer.* Strich, der sei im Ich, wenn es gehe, zwei. Strich, der sei im Ich, wenn es liege und sich strecke, viele. *Strich, der sei im Ich. Strich, der sei im Ich einer nicht.* Strich, der sei im Ich einer und noch einer und immer noch einer. Strich, der sei im Ich viele. *Strich, der im Ich viele sei, den schicke es in den Raum.* Strich, den Ich in sich habe, den schicke es in den Raum, den es um sich habe. Striche, die vielen, die Ich in sich habe, die schicke es in den Raum, den es um sich habe. *Raum, der sei einer mit Ich. Raum, der sei einer mit Strich.* Raum, der sei einer mit Strichen. Raum, der sei einer mit Strichen aus dem Ich.

/ / /

Boden, der sei. Ich, das sei. Boden, der sei einer, dem Ich nicht entgehe. Boden, der sei einer, dem Ich nicht entgehe, so sehr es seine Füße auch spitze. *Ich, wenn das dem Boden doch einmal entgehe, so nach oben und nur für kurze Zeit. Ich, wenn das dem Boden doch einmal entgehe, so nach unten nie.* / / Boden, dem entkomme Ich im Gehen nicht. Boden, dem entgehe Ich nicht. *Boden, dem entkomme Ich im Stehen noch weniger. Boden, dem entstehe Ich nicht.* Boden, dem entkomme Ich im Liegen schon gar nicht. Boden, dem entliege Ich nicht. *Boden, dem entkomme Ich im Fliegen aber. Boden, dem entfliege Ich.* / / Ich, das sei eines, das Boden unter seinen Füßen habe. Ich, das sei eines, das nicht ohne Grund Boden unter seinen Füßen habe. *Ich, das sei eines, das Boden unter seinen Füßen haben müsse.* Ich, das keinen Boden unter seinen Füßen habe, das falle. Doch Ich, das keinen Boden unter seinen Füßen habe, das falle immer zu einem Boden hin. *Ich, das keinen Boden unter seinen Füßen habe, das falle ins Bodenlose nie. Ich, das könne ins Bodenlose nur fallen, wenn es vom Boden her falle.* Ich, das könne ins Bodenlose nur fallen, wenn es vom Boden sich entferne. Ich, das könne ins Bodenlose nur fallen, wenn es jedem Fallen entgegen sich bewege. *Wenn es schwebe. Wenn es fliege.* / / Boden, der sei einer, dem Ich doch entgehe. Allerdings manchmal nur. *Weit nie. Lange nie.* Oft nur ein wenig. Oft nur für ganz kurze Zeit. *Im Sprung zum Beispiel.* Boden, der sei einer, dem Ich auf Dauer keinesfalls entkomme. / / *Ich, wenn das dem Boden entgehe, so entgehe das der Luft damit noch nicht. Ich, wenn das dem Boden entgehe, so entgehe das der Luft damit gerade nicht.* Ich, wenn das dem Boden entgehe, so gehe das in die Luft damit gerade ganz. / / *Luft, die sei eine, die Ich, wenn es dem Boden entgehe, ganz um sich habe. Luft, die sei eine, die Ich, wenn es dem Boden entgehe, auch unter sich habe.* Boden, der sei einer, den Ich nur unter sich habe. Luft, die sei eine, die Ich überall sonst um sich habe. *Luft, die sei eine, die Ich, wenn es Boden keinen mehr unter sich habe, allüberall um sich habe.*

/ / /

Boden, der sei einer, dem Ich nur schwer entkomme. Raum, der sei einer, dem Ich niemals entkomme. *Noch nicht einmal im Fallen. Noch nicht einmal im Fliegen.* Raum, um dem zu entkommen, müsse Ich sich schon entleiben. Raum, um dem zu entkommen, müsse Ich den Dingen entkommen. *Um aber den Dingen zu entgehen, müsse Ich sich selber entgehen. Um den Dingen zu entkommen,* müsse Ich seinem Leib entkommen. Doch auch wenn es den eigenen Leib verlasse, so lasse es den noch immer im Raum zurück.

/ / /

Raum, der sei. Raum, der sei einer. Ding, das sei. Ding, das sei eines keines. *Ding, das sei mit Ding.* Raum, der sei um Ding mit Ding. Raum, der sei um Ding mit Ding einer. / / *Ding, das sei geheuer. Raum, der sei ungeheuer.* Ding, dem Ding nicht entgehe, das sei dem geheuer. Raum, dem Ding nicht entgehe, der sei dem ungeheuer. / / *Ding, dem sei Ding geheuer.* Ding, dem sei Ding geheuer, weil Ding zum Ding gehöre. Ding, dem sei Ding geheuer, obschon Ding Ding nicht entgehe. *Ding, dem sei Ding gleichwohl geheuer, weil Ding, ein eines, Ding, einem anderen, immerhin dennoch entgehe, indem es Ding, einem anderen anderen, nicht entgehe.* / / Ding, dem sei Raum ungeheuer. *Ding, dem sei Raum ungeheuer, obschon Raum zum Ding gehöre. Ding, dem sei Raum ungeheuer, weil Ding Raum nicht entgehe.* Ding, dem sei Raum ungeheuer, weil Raum zum Ding nicht wie Ding zum Ding gehöre. Ding, dem sei Raum ungeheuer, weil Ding Raum, einem einen, nicht entgehe, indem es Raum, einem anderen, entgehe. *Denn Ding, das entgehe Raum, einem anderen, nicht, weil der als ein anderer gar nicht sei.* Ding, dem sei Raum ungeheuer, weil Raum ein einer sei. Ding, dem sei Raum ungeheuer, weil der überall ein einer sei. *Ding, dem sei Raum ungeheuer, weil es dem nie und nirgends entgehe.* / / Ding, das gehöre zum Ding. Ding, das gehöre nie nicht zum Ding. *Ding, das sei ohne Ding*

keines. Raum, der gehöre zum Ding. Raum, der gehöre allerdings auch nicht zum Ding. *Raum, der sei auch ohne Ding einer.* / / Ding, das sei. Raum, der sei. *Ding, das sei geheuer. Raum, der sei ungeheuer.* Ich, dem sei Ding geheuer. Ich, dem sei Raum ungeheuer.

/ / /

Ich, das sei. Ich, das sei eines, das gehe. Ich, das sei eines, das im Raum gehe. Ich, das sei keines, das in den Raum gehe. *Ich, eines, das gehe, das gehe im Raum schon immer. Ich, eines, das gehe, das gehe im Raum von Anfang an.* Ich, eines, das gehe, das gehe nicht in den Raum. Ich, eines, das gehe, das gehe auch nicht aus dem Raum. *Aus Dingen, in denen Raum sei, könne Ich gehen. Und in Dinge, in denen Raum sei, könne Ich gehen.* Aus dem Raum und in den Raum gehen, das könne Ich aber nicht. *Ich, eines, das in den Raum gehe, das gehe noch nicht. Ich, eines, das in den Raum gehe, das gehe in seinen Leib.* Ich, eines, das aus dem Raum gehe, das gehe nicht mehr. Ich, eines, das aus dem Raum gehe, das gehe aus seinem Leib. *Der Leib aber, aus dem es gehe, der bleibe im Raum.*

/ / /

Raum, der sei. Raum, der sei einer mit Dingen. *Raum, der sei einer mit Frauen. Raum, der sei einer mit Frauen und Männern.* Raum, der sei einer mit Frauen und Männern aus Frauen. / / *Ding, das sei. Ding, das sei eines keines.* Ding, das sei eines und noch eines und immer noch eines. Ding, das sei viele. *Frau, die sei. Frau, die sei eine keine.* Frau, die sei eine und noch eine und immer noch eine. Frau, die sei viele. / / *Frau, die sei eine, die Raum in sich habe. Frau, die sei eine, die Raum um sich habe.* Frau, die sei eine, die einen Raum in sich habe, aus dem sie in den Raum, den sie um sich habe, Frauen und Männer schicke. Alle Frauen. Alle Männer. *Alle, die es gegeben habe. Alle, die es gebe. Alle, die es geben werde.* Raum, aus dem jedes Ich komme, das sei der Raum in einer Frau. Raum, in den jedes Ich komme, das sei der Raum um eine Frau. / / *Ich, das sei immer eines, das im Raum sei. Ich, das sei immer eines, das im Raum einer Frau sei.* Im Raum in einer Frau. Im Raum um eine Frau. *Ich, das nicht im Raum einer Frau sei, das sei im Raum nicht. Ich, das nicht im Raum sei, das sei Ich keines. Noch keines. Oder keines mehr.*

/ / /

Raum, dem könne kein Ich entkommen. Raum, dem einer Frau, könne kein Ich entkommen. *Raum, dem in einer Frau nicht. Aus dem komme es. Raum, dem um eine Frau nicht. In den komme es.* Raum in einer Frau, der sei jeden Ichs erster. Raum um diese Frau, der sei jeden Ichs zweiter. / / *Raum, der sei. Raum, der sei einer.* Raum in der Frau, der sei einer. Raum um die Frau, der sei anderer keiner. *Nur Anfang und Ende, die seien im Raum in der Frau andere als im Raum um die Frau.* Raum in der Frau und Raum um die Frau, die seien einer. *Raum in der Frau, der sei im Raum um die Frau. Raum um die Frau, der sei um Raum in der Frau.* Raum, der sei einer. *Frau, die sei eine keine. Frau, die sei eine und noch eine und immer noch eine.* Raum, der sei einer. Frau, die sei viele.

/ / /

Ich, das sei. Ich, das sei eines keines. Ich, das sei eines und noch eines und immer noch eines. Ich, das sei viele. *Ich, das sei so viele, dass Ich, ein eines, Ich, einem anderen, kaum entkommen könne.* Ich, das gehe, das sei eines keines. Ich, das gehe, das sei eines und noch eines und immer noch eines. *Ich, das gehe, das sei viele. Ich, das gehe, das sei so viele, dass Ich Ich kaum je entgehe.* / / Ich, das sei. Ich, das sei eines, das gehe. *Ich, eines, das gehe, das gehe gegen. Ich, eines, das gehe, das gehe gegen Ich.* Ich, ein eines, das gehe gegen Ich, ein anderes. *Ich, das sei. Frau, die sei. Mann, der sei.* Frau, die sei eine, die gehe. Mann, der sei einer, der gehe. *Frau, die gehe gegen Mann, der gehe. Mann, der gehe gegen Frau, die gehe.* Ich, das gehe gegen Ich, das gehe. Wieder und wieder. *Bis keines mehr könne.*

/ / /

Raum, der sei einer des Gehens. Gehen, das sei eines der Dinge. *Dinge, die seien welche, die gehen. Raum, der sei keiner, der gehe.* Dinge, die gehen. *Dinge, die gehen, die gehen gegen. Dinge, die gehen, die gehen gegen Dinge.* Dinge, die gehen, die gehen gegen Dinge, die gehen. Dinge, die gehen, die gehen gegen Dinge, die gegen sie gehen. / / *Dinge, die gehen, die seien Gegengeher. Dinge, die gehen, die seien Gegendingegeher.* Dinge, die stehen, wenn sie nicht gehen. Dinge, die stehen, die seien Gegensteher. Gegensteher, die gehen, die seien Gegengeher. *Dinge, die stehen, die seien Gegendingesteher. Gegendingesteher, die gehen, die seien Gegendingegeher.*

/ / /

Ding, das sei. Ding, eines, das gehe, das sei. Ding noch eines, das sei. *Ding eines, das nicht gehe, das sei.* Ding, das gegen Ding gehe, das sei. Ding, das gegen Ding gehe, das sei eines, das gegen Ding, ein scheinbares, gehe. *Ding, das gegen Ding, ein scheinbares, gehe, das sei eines, das gegen Raum gehe, wie es scheine.* / / Ding, das könne Gegenstand. *Ding, das Gegenstand könne*, das könne Gegenstand nur. *Ding, das Gegenstand könne*, das könne nichts anderes. Ding, das Gegenstand könne, das könne Gegenstand gegen

Abramovic / Ulay, ***Beziehung im Raum, 1 Stunde,*** Biennale Venedig, 1976
© VBK Wien.

Kurt Absalon, ***Bataille,*** 1993, Video BETA-SP.
Foto © mumok, museum moderner kunst stiftung ludwig wien.

Gegenstand nur. *Ding, das Gegenstand könne, das könne Gegenstand gegen Ding nur. Ding, das Gegenstand könne, das könne Gegenstand gegen Raum nie.* / / Ding, das könne Gegenstand. Ding, das müsse Gegenstand können. *Ding, das müsse Gegenstand gegen Gegenstand können. Ding, wenn das Gegenstand gegen Gegenstand nicht könne, dann sei das Ding keines.* / / Ding, das könne Gegenstand. Raum, der könne Gegenstand nicht. *Raum, der sei Gegenstand keiner. Raum, der sei Gegenstand nie.* Ding, das sei Gegenstand immer.

/ / /

Gehen, das sei eines der Dinge. Gehen, das sei eines eines Dings gegen ein Ding. Gehen, das sei eines von Dingen gegen Dinge. *Gehen, das sei eines von sichtbaren gegen sichtbare. Gehen, das sei so eines zumeist.* Gehen, das sei eines von sichtbaren gegen unsichtbare manchmal allerdings auch. Gehen, das sei auch so eines zuweilen. / / *Mann, der sei. Mann, einer, der gehe, der sei.* Mann, der gehe, der sei einer, der gegen Raum gehe, wie es scheine. Mann, einer, der gegen Raum gehe, wie es scheine, der gehe gegen Dinge, wie es sei. Mann, einer, der gegen Raum gehe, wie es scheine, der gehe gegen Dinge, die sich nicht sichtbar machen. *Mann, einer, der gegen Raum gehe, wie es scheine, der gehe gegen Dinge, die der nur sich sichtbar mache.* Mann, der gehe, der gehe gegen Raum nicht. Mann, der gehe, der gehe gegen Dinge, die der nur sich sichtbar mache. *Mann, gehe der gegen Dinge, die der nur sich sichtbar mache, nicht, so gehe der gegen Luft.* / / Raum, der sei einer mit Dingen. Raum, der sei einer mit Luft. *Luft, die sei auch ein Ding.* Mann, der könne gegen. Mann, der könne gegen Dinge. *Mann, der könne gegen Raum nicht.* Mann, der könne gegen sichtbare Dinge. Mann, der könne gegen unsichtbare Dinge. *Mann, der könne gegen Luft.*

/ / /

Raum, der habe es mit Dingen. Raum, der es mit Dingen habe, der habe es mit wirkbaren. *Raum, der es mit Dingen habe, der habe es mit solchen, die als Dinge wirken. Raum, der habe es mit Dingen, die als Gegenstände wirkbare seien.* Raum, der es mit Dingen habe, der habe es mit wirkbaren. Raum, der es mit Dingen habe, der habe es mit scheinbaren auch. *Raum, der es mit Dingen habe, der habe es auch mit solchen, die als Gegenstände scheinbare seien.* / / Raum, der es mit scheinbaren Dingen habe, der habe es mit solchen, die auch als scheinbare Gegenstände immer noch wirkbare seien. Raum, der es mit scheinbaren Dingen habe, der habe es mit solchen, die nicht selten erst als

scheinbare Gegenstände besonders wirkbare seien. *Was scheine, das sei Scheinbares zwar nur. Was scheine, das sei dennoch Wirkbares auch.* Was scheine, das sei zuweilen besonders Wirkbares sogar. / / *Scheinbare Dinge, die seien so durchaus welche, gegen die es sich gehen lasse.* Scheinbare Dinge, gegen die es sich gehen lasse, die seien als solche immerhin so sehr wirkbare, dass ein Gehen gegen die ein Gehen gegen Raum zu sein scheine.

/ / /

Gehen, das sei. Irren, das sei. Irren, das sei im Stehen keines. Irren, das sei eines im Gehen. *Ich, eines, das stehe, das irre nicht. Ich, eines, das gehe, das irre.* Ich, eines, das zwischen Gleichen gehe, das irre. Ich, eines, das über Gleichem gehe, das irre. / / *Boden, der könne einer zwischen Gleichen sein.* Boden, der könne in sich selbst schon ein gleicher sein. Boden, der könne in sich selbst schon ein überall gleicher sein. *Boden, der könne in sich selbst schon ein gleicher sein, wo überall der ohne weitere Dinge bleibe.*

/ / /

Raum, der es mit Dingen habe, der habe es auch mit Dingen, die sich gleichen. Raum, der habe es mit Dingen, die sich gleichen, im Irren. *Irren, das sei keines des Raumes. Irren, das sei eines der Dinge.* Irren, das sei eines zwischen Dingen. Irren, das sei eines zwischen Dingen, die sich gleichen. *Raum, der irre nicht. Dinge, die irren.* Dinge, die irren zwischen Dingen. Dinge, die irren zwischen Dingen, die sich gleichen. / / *Irren, das sei eines zwischen einem Einen und einem Anderen, das dem Einen gleiche.* Irren, das sei aber auch eines zwischen einem Einen und einem Anderen, das dem Einen nur scheinbar gleiche. *Irren, das sei eines zwischen Dingen, die sich gleichen. Irren, das sei auch eines zwischen Dingen, die sich scheinbar gleichen.* / / Irren, das sei eines im Wald. Irren, das sei im Wald eines zwischen Stämmen, die sich gleichen. *Irren, das sei im Wald eines zwischen Stämmen, die sich gleichen, obschon von denen doch keiner wie der andere sei. Irren, das sei im Wald eines zwischen Stämmen, die sich gleichen, obschon von denen doch ein jeder, so sehr der auch jedem anderen gleiche, ein anderer bleibe.* Was sich gleiche, das gleiche sich im Genauen doch nicht. Was sich gleiche, das gleiche sich bis ins Letzte doch nicht. *Irren, das eines zwischen Gleichen sei, das sei so letztlich doch eines zwischen scheinbar Gleichen immer nur.*

/ / /

Ich, das sei. Ich, das sei eines keines. *Ich, das sei eines und noch eines und immer noch eines. Ich, das sei viele.* Ich und Ich, die seien welche, die sich gleichen. Ich, die vielen, die seien welche, die sich gleichen. *Ich und Ich, die sich gleichen, die seien Gleiche scheinbar nur. Ich, die vielen, die sich gleichen, die seien Gleiche scheinbar nur.* / / Ich, ein jedes, das irre zwischen Ich, den vielen. Ich, ein jedes, das irre zwischen Ich, den vielen, die sich gleichen und doch nur scheinbar gleichen. *Ich, ein jedes, das irre zwischen Ich, einem einen, und Ich, einem anderen, das Ich, dem einen, gleiche und doch nur scheinbar gleiche.* Ich, das irre sich im Ich. *Ich, das irre sich im Ich, dem vielen. Ich, das irre sich im Ich, dem scheinbar gleichen.* Ich, das irre sich im Ich, dem scheinbar gleichen, das viele sei.

/ / /

Ich, das sei. Ich, das sei viele. Wir, das sei keines. *Ich, das viele sei, das sei Wir nie. Ich mit Ich, das werde Wir nie.* Ich, ein eines, das werde mit Ich, einem anderen, Wir nie. Ich, ein eines, das werde mit Ich, vielen anderen, Wir nie. *Wir, das sei immer nur eines zum Scheine.* Wir, in dem sei Ich wirr. Wir, in dem irre Ich. *Wir, in dem irre Ich sich. Wir, in dem irre Ich im Ich sich.* Wir, in dem irre Ich in dem, was Ich sei, sich. Wir, in dem irre Ich in dem, was Ich mit Ich sei, sich.

/ / /

Raum, der sei. Ding, das sei. Raum, der sei einer. Ding, das sei eines keines. *Raum, der sei um Ding. Raum, der sei im Ding.* Raum, in dem sei jedes Ding. Raum, der sei in jedem Ding. *Raum, der kleide Ding.* Raum, der kleide Ding von außen her. Raum, der kleide Ding von innen her. *Raum, der kleide Ding von außen und von innen her.* Raum, der kleide Ding von außen und von innen her zugleich. Raum, der kleide Ding so. *Raum, der kleide so jedes Ding.* / / Ding, das könne nackt nicht. *Ding, das könne nackt nur ohne Raum. Ding, das sei ohne Raum aber keines. Ding, das könne nackt nicht.* Raum, der könne nackt. *Raum, der könne nackt nur ohne Dinge. Raum, der sei ohne Dinge aber immer noch einer. Raum, der könne nackt.* Raum, der brauche für sein Sein ein Sein der Dinge nicht. Dinge, die brauchen für ihr Sein ein Sein des Raumes.

/ / /

Raum, der sei Kleid. Dinge, die seien Kleider. Raum, der sei einer. Dinge, die seien viele. *Kleid der Dinge, das sei eines. Kleider des Raumes, die seien viele.* Raum, der sei Kleid, das eine, das Dinge, die vielen, kleide. Dinge, die seien Kleider, die vielen, die Raum, den einen, kleiden. *Raum, der sei das Kleid, das alle Dinge kleide. Raum, der sei das Kleid, das alle Dinge gleich kleide.* Dinge, die seien die Kleider, die den Raum immer anders kleiden. *Raum, der uniformiere. Dinge, die pluriformieren.*

Vanessa Beecroft, ***VB33 performance***, Institute of Contemporary Art, London, UK, 1997.
VB33.126.vb. Foto: Vanessa Beecroft.
Courtesy of the artist. © 2012 Vanessa Beecroft.

Dinge, die keine gleichen seien, die pluriformieren. Dinge, die gleiche seien, die uniformieren auch. *Raum, der sei einer. Dinge, die seien viele.* Raum, der sei das Kleid der Dinge. Dinge, die seien die Kleider des Raumes. *Raum, der sei die Uniform der Dinge. Dinge, die seien die Pluriformen des Raumes.*

/ / /

Ding, das könne nackt, wie das selbst meine. *Ding, das könne nackt sich machen, wie das selbst meine. Ding, das könne nackt sein, wie das selbst meine.* Ding, das könne nackt, wie das selbst meine, noch nicht einmal nur zum Scheine. Doch Ding, das nackt sich mache, das müsse den Raum um sich wie auch den Raum in sich loswerden. *Das allerdings sei doppelt unmöglich.* Ding, das könne nackt nicht. *Ding, das könne nackt sich nicht machen. Ding, das könne nackt nicht sein.* Dinge, die seien nackt nie. Dinge, die seien im Raum nackt nie. *Dinge, die seien ohne Raum nackt immer. Doch Dinge, die seien ohne Raum keine.* Dinge, die seien nackt nie. *Kleider, die seien auch Dinge. Kleider, selbst die seien nackt nie.* Kleider, die kleide Raum auch. Kleider, die kleide Raum nicht anders als alle Dinge sonst.

/ / /

Frau, die gegen Mann gehe, die könne nackt, wie die selbst meine. Frau, die könne nackt, wie die selbst meine, noch nicht einmal nur zum Scheine. Mann, der gegen Frau gehe, der könne nackt, wie der selbst meine, auch. Mann, der könne nackt, wie der selbst meine, noch nicht einmal nur zum Scheine, ebenfalls. / / *Frau, die gegen Mann gehe, die trage Kleider keine. Mann, der gegen Frau gehe, der trage Kleider keine.* Doch das sei schon alles. Mehr Nacktheit, die gebe es nicht. *Nacktheit, die es so weit gebe, die sei noch keine. Nacktheit, die es so weit gebe, die sei nur zum Scheine eine.* Frau wie Mann, die seien beide nackt nur zum Scheine. *Raum, der kleide beide. Raum, der lege beiden sich um.* Raum, der lege allem sich um. Raum, der lege beiden wie allem anderen sich um. *Raum, der sei eine Uniform.*

/ / /

Frau, die sei keine nackte. Wie sehr die selbst, wenn die eine ohne Kleider sei, eine nackte zu sein, auch meine. *Wie sehr andere, dass die so eine nackte sei, auch meinen.* Mann, der sei kein nackter. Wie sehr der selbst, wenn der ohne Kleider sei, ein nackter zu sein, auch meine. *Wie sehr andere, dass der so ein nackter sei, auch meinen.* Frau, die sei keine nackte. Mann, der sei kein nackter. *Raum, der lege beiden seinen Mantel um.* / / Ding, das sei kein nacktes. *Wie sehr das selbst, ein nacktes zu sein, auch meine. Wie sehr andere, dass das*

ein nacktes sei, auch meinen. Ding, das sei kein nacktes. Ding, das sei nie und nirgends ein nacktes. *Raum, der lege allem seinen Mantel um. Raum, der lege allem überall seinen Mantel um.* Raum, der lege allem allüberall sich als Mantel um. / / *Raum als Mantel, der sei Uniform allüberall.* Die allerdings sei eine durchsichtbare, eine durch und durch durchsichtbare. *Uniform, die kleide alles gleich. Uniform, eine durch und durch durchsichtbare, die kleide alles gleich und belasse doch jedes ganz in seiner Verschiedenheit.* Uniform, eine durch und durch durchsichtbare, die scheine Kleid keines zu sein, und sei doch eines.

/ / /

Raum, der sei. Ding, das sei. Raum, der sei einer, der fasse. Ding, das sei eines, das fasse. *Raum, der sei einer, der nicht fasse, wie ein Ding fasse.* Boden, der sei einer, der fasse. Boden, der sei einer, der von unten her fasse. *Boden, der sei einer, der von unten her rundum fasse.* Boden, der sei einer, der von unten her ganz fasse. Boden, der von unten her ganz fasse, der sei ein Fass ohne Loch. *Boden, der sei aber doch ein Fass mit Loch. Boden, der sei ein Fass, das oben offen sei.* / / Boden, der fasse als Fass, das oben offen sei, von unten her. Boden, der fasse nur als Fass, das von unten her rundum fasse, ganz. *Boden, der sei nur als Fass, das von unten her rundum fasse, ohne Loch. Boden, der sei als Fass, das von oben her fasse, mit Loch.* Boden, der sei als Fass, das von oben her fasse, mit Loch nicht nur. Boden, der sei als Fass, das von oben her fasse, Loch ganz. *Boden, der sei ein Fass, das von unten her rundum fasse. Boden, der sei ein Fass, das von oben her überhaupt nicht fasse.* / / Boden, der sei ein Fass. Boden, der sei ein unteres Fass. *Boden, der sei kein oberes Fass. Boden, der sei so gewissermaßen ein inneres Fass.* Boden, der fasse so jedes Ding, das er über sich habe, von innen her. Boden, der fasse so auch jedes Ich. *Boden, der fasse so auch jedes Ich, das er über sich habe, von innen her.*

/ / /

Ding, das sei ein Fass des Raumes. Ding, das fasse den Raum, den es um sich habe, von innen her. *Ich, das sei auch so eines. Ich, das sei auch so ein Fass.* Ich, das sei auch so ein Fass, das den Raum, den es um sich habe, von innen her fasse. *Jedes Ding, das sei so eines. Jedes Ding, das sei ein Fass, das den Raum, den es um sich habe, von innen her fasse.* / / Raum, der sei ein Fass der Dinge. Raum, der sei einer, der jedes Ding fasse. *Raum, der sei einer, der alle Dinge fasse.* Raum, der sei allerdings einer, der alle Dinge nicht fasse, wie ein Ding fasse. *Raum, der sei Ding keines. Raum, der sei Fass, wie Ding eines sei, keines.*

/ / /

Raum, der sei ein Fass, das es mit Fässern habe. *Raum, der sei das Fass, das es mit Fässern habe, die wie Dinge fassen, derweil der selbst eines sei, das nicht fasse, wie ein Ding fasse.* Raum, der sei. Fass, das sei. *Fass, das sei eines keines. Fass, das sei eines und noch eines und immer noch eines.* Fass, das sei viele. Raum, der sei einer. *Fass, das sei Raum keiner. Fass, das sei Ding.*

/ / /

Raum, der sei um. Raum, der sei im. *Raum, der sei um Ding. Raum, der sei im Ding.* Raum um Ding, den fasse Ding von innen her. Raum im Ding, den fasse Ding von außen her. / / *Ding, das fasse Raum. Ding, das fasse Ding.* Ding, das fasse Raum um. Ding, das fasse Raum im. *Ding, das fasse Ding. Ding, das fasse sich.* Ding, das sich fasse, das fasse sich von außen her. Ding, das sich fasse, das fasse den Raum, den es in sich habe. Ding, das sich fasse, das fasse den Raum, den es in sich habe, von außen her. *Ding, das sei ein Fass des Raumes.* Ding, das sei ein Fass des Raumes um. Ding, das sei ein Fass des Raumes im. *Ding, das sei so ein Fass des Raumes.* / / Ding, das sei ein Fass der Dinge. *Ding, das sei ein Fass seiner selbst und anderer. Ding, das sei ein Fass seiner selbst zunächst.* Ding, das sei ein Fass seiner selbst immer. Ding, das sei darüber hinaus ein Fass anderer Dinge zuweilen auch noch.

/ / /

Bild, das sei Fass keines. Fass, das sei Ding. Bild, das sei Ding keines und doch eines. Bild, das sei Ding fast schon keines mehr und doch gerade noch eines. *Bild, das sei Ding fast noch keines und doch gerade schon eines.* Bild, das sei von allen Dingen das dünnste. Bild, das sei ein Ungeheuer. *Bild, das sei ein Ungeheuer des Scheins.* Bild, das sei ein Fass des Scheins. Bild, das sei als Fass des Scheins ein Ungeheuer. *Bild, das sei eines, das zu fassen scheine. Bild, das sei eines, das Dinge zu fassen scheine.* Bild, das fasse Dinge zum Scheine nur. *Bild, das sei eines, das Raum zu fassen scheine. Bild, das fasse Raum zum Scheine nur.* / / Ding, das sei. *Boden, der sei. Bild, das sei.* Boden, der sei auch als dünner Ding noch. *Bild, das sei noch viel dünner.* / / Boden, der trage. Boden, der trage, was der auf sich habe. *Boden, der trage Beine. Boden, der trage Bild.* Ob Bild, ob Beine, Boden, der trage. *Bild, das trage nicht. Bild, das trage, was das in sich habe, nicht.* Boden, der trage. Bild, das trüge. *Ding, im Bild, das trüge. Boden im Bild, der trüge.* Beine im Bild, die trügen. Raum im Bild, der trüge.

/ / /

Ding, das sei. Ding, das sei eines und noch eines. Ding, das sei um Ding. Ding, das sei im Ding. *Ding, das fasse Ding.* Ding, das um Ding sei, das fasse Ding, das im Ding sei. Ding um, das fasse Ding im. *Ding um, das fasse Ding im von außen her. Ding, das fasse Ding von außen her. Ding, das Ding fasse, das fasse sich und eines, das es in sich habe, von außen her.* Ding, das Ding fasse, das fasse den Raum, den es in sich selbst habe, und den Raum, den das eine, das es in sich habe, in sich habe, von außen her. *Ding, das Ding fasse, das habe einen doppelten Raum in sich. Ding, das Ding fasse, das fasse einen doppelten Raum von außen her.* / / Ding, das fasse Ding. *Ding, das fasse Ding von außen her. Ding, das fasse sich von außen her.* Ding, das fasse jedes andere Ding, das es zudem fasse, von außen her. Ding, das fasse Ding von außen her. / / *Boden, der sei ein Ding. Boden, der fasse sich von außen her. Boden, der fasse jedes andere Ding, das der zudem fasse, von innen her.* Boden, der fasse jedes Ding, das der über sich habe, von unten her. Boden, der sei das Fass, das alle Dinge, die der über sich habe, von innen her fasse.

/ / /

Raum, der sei. Fass, das sei. Raum, der sei einer. Fass, das sei eines. *Fass, das eine, das sei Raum. Fass, das eine, das nicht fasse, wie ein Ding fasse, das sei Raum.* Fass, das nicht fasse, wie ein Ding fasse, das sei eines nur. Fässer, die fassen, wie Dinge fassen, die seien viele. *Raum, der sei das Fass der Fässer. Raum, der sei das Fass, das all die Fässer, die es fasse, nicht fasse, wie diese fassen.*

/ / /

Raum, der sei. Raum, der sei einer mit Dingen. *Raum, der sei einer mit Häusern.* Haus, das sei. Haus, das sei kein Raum. *Haus, das sei ein Ding. Haus, das sei ein Fass.* Haus, das sei ein Fass, das wie ein Ding fasse. Haus, das sei kein Fass, das nicht wie ein Ding fasse. *Haus, das sei kein Raum.* / / Haus, das sei ein Fass. Haus, das sei ein Fass, das ein Loch habe. *Haus, das sei ein Fass, das wie ein Ding fasse und ein Loch habe. Haus, das sei ein Fass, das ein Loch zumindest habe.* Haus, das sei ein Fass, das, wenn es Loch keines habe, Haus keines sei.

/ / /

Haus, das sei ein Ding. Haus, das sei kein Raum. Auch dass Haus hohl sei, mache das zu keinem. *Haus, das selber sei Raum zwar keiner. Doch Raum im Haus, der sei schon.* Raum, der sei im Haus, im hohlen wie im nicht hohlen. *Raum im hohlen Haus, der sei ein einer. Raum im nicht hohlen, der sei kein anderer.* Raum im hohlen Haus, der sei dennoch nicht wie im nicht hohlen. Haus, das hohle, das sei nicht wie Haus, das nicht hohle. *Haus, das hohle, das sei Haus eines. Haus, das nicht hohle, das sei Haus keines.* Haus, das nicht hohle, das sei eines, das nur sich fasse. Haus, das nicht hohle, das sei deswegen keines. / / *Haus, das hohle, das sei eines, das nicht nur sich fasse. Haus, das hohle, das sei eines, das auch Ich fasse.* Haus, das hohle, das sei ein Ding, das nicht nur sich selbst fasse. Haus, das hohle, das sei ein Ding, das sich und andere Dinge fasse. *Haus, das sei ein Ding, das sich und Ich und andere Dinge fasse.*

/ / /

Raum, der sei. Raum, der sei einer mit Dingen. *Raum, der sei einer mit Haus und Frau. Raum, der sei mit Boden auch.* Raum, der einer mit Dingen sei, der sei mit Boden sowieso. *Raum, der sei einer mit Stehen. Raum, der sei einer mit Gehen.* Raum, der einer mit Boden sei, der sei einer mit Stehen und Gehen sowieso.

/ / /

Haus, das sei. Haus, das sei eines, das stehe, wie sonst jedes stehe. Frau, die sei. Frau im Haus, die sei. *Frau im Haus, die sei eine, die stehe, wie sonst keine stehe.* Frau im Haus, die sei eine, die auf keinem Boden stehe. Frau im Haus, die auf keinem Boden stehe, die stehe so im Haus und im Haus auch schon nicht mehr. *Frau im Haus, die auf keinem Boden stehe, die stehe so im Haus und zum Haus auch schon hinaus.* / / Frau, die sei. Fenster, das sei. *Frau, die sei eine, die im Fenster stehe. Frau, die sei keine, die am Fenster stehe.* Frau, die sei keine, die hinter dem Fenster stehe. Frau, die sei keine, die vor dem Fenster stehe. *Frau, die sei eine, die zum Fenster hinaus stehe.*

/ / /

Frau, die sei. Fenster, das sei. *Fenster, das sei eines, das offen stehe. Frau, die sei keine, die offen stehe.* Frau, die sei eine, die im Fenster stehe. Frau, die sei eine, die im offenen Fenster stehe. *Frau, die sei keine, die im offenen Fenster offen stehe.* Frau, die sei keine, die im offenen Fenster gehe. Frau, die sei eine, die im offenen Fenster stehe. / / Frau, die sei eine, die zum Fenster hinaus stehe. Frau, die zum Fenster hinaus stehe, die sei keine, die als ganze zum Fenster hinaus stehe. *Frau, die zum Fenster hinaus stehe, die sei eine, die als halbe zum Fenster hinaus stehe.* Frau, die zum Fenster hinaus stehe, die sei halbe halbe eine. *Frau, die sei als halbe hinter dem Fenster. Frau, die sei als halbe vor dem Fenster.* / / Frau, die sei eine, die mit beiden Beinen zum Fenster hinaus stehe. Frau, die mit beiden Beinen zum Fenster hinaus stehe, die habe Boden im Haus keinen mehr unter den Füßen. *Frau, die mit beiden Beinen zum*

Fenster hinaus stehe, die habe Boden um Haus noch keinen unter den Füßen. Frau, die mit beiden Beinen zum Fenster hinaus stehe und keinen Boden unter den Füßen habe, die sei allerdings keine, die falle. *Frau, die sei. Frau, die sei eine, die stehe, wie sonst keine stehe.* Frau, die sei eine, die gegen keinen Boden stehe. Frau, die sei eine, die gegen Luft stehe.

/ / /

Ich, das sei. Fenster, das sei. Ich, das sei eines, das Beine habe. *Fenster, das sei keines, das Beine habe. Fenster, das sei eines, das Flügel habe.* / / Fenster, eines, das aufgehe, das öffne nicht seine Beine. Fenster, eines, das aufgehe, das öffne seine Flügel. *Fenster, eines, das aufgehe, das fliege.* Ich, eines, das aufgehe, das öffne seine Beine. Ich, eines, das aufgehe, das gehe. *Ich, eines, das nicht aufgehe, das stehe.* / / Ich, sei das auch eines, das im Fenster, das aufgehe, selber nicht aufgehe, so fliege das im Fenster, das fliege, dennoch schon mit. Ich, eines, das im Fenster, das fliege, nur stehe, schon das fliege mit. *Ich, eines, das im Fenster, das fliege, nur stehe, das fliege jedenfalls schon mit. Ich, eines, das im Fenster, das fliege, nur stehe, das fliege ganz ohne Fall schon mit.*

/ / /

Haus, das sei. Haus, das sei ein Fass. *Haus, das sei ein Fass, das Ich, wenn es draußen sei, von innen her fasse. Haus, das sei ein Fass, das Ich, wenn es drinnen sei, von draußen her fasse.* Haus, das sei, wenn das hohl sei, mal inneres Fass, mal äußeres. Haus, das sei, wenn das nicht hohl sei, inneres Fass nur. *Haus, das sei, wenn das nicht hohl sei, Haus keines mehr. Haus, das sei, wenn das nicht hohl sei, Haus keines mehr, doch Fass immer noch eines.* / / Haus, das Haus keines mehr sei, das sei als Fass nur noch eines, das von innen her fasse. Haus, das Haus keines mehr sei, das fasse nur noch, was draußen sei. *Haus, das eines sei, das sei ein Fass, das ganz nicht fasse. Haus, das eines sei, das sei ein Fass, das ein Loch habe.* Haus, das eines sei, das sei ein Fass, das ein Loch zumindest habe. *Haus, das keines sei, das sei ein Fass, das ganz fasse. Haus, das keines sei, das sei ein Fass ohne Loch.*

/ / /

Fass, das sei. Fass, das sei eines keines. *Fass, das sei eines und noch eines.* Fass, das sei eines um Fass. Fass, das sei eines im Fass. *Fass, das Fass fasse, das sei.* Fass, das Fass fasse, das sei eines, das wechselweise fasse. Doch Fass, das Fass fasse, das fasse so nicht lang. *Fass, das um Fass sei, das bleibe nicht. Fass, das im Fass sei, das bleibe.* Doch Fass, das bleibe, das bleibe Fass im Fass nicht. / / *Fass, das sei. Fass, das sei eines keines.*

Erwin Wurm, *Outdoor Sculptures Appenzell*, 1998. © VBK Wien.

Rachel Whiteread, *Walls, Doors, Floors and Stairs*, Kunsthaus Bregenz, 9.4.–29.5.2005, Ausstellungsansicht *3. OG*
© 2005 Rachel Whiteread, Kunsthaus Bregenz, Foto: Markus Tretter

Fass, das sei eines und noch eines. *Fass, ein erstes, das sei, und Fass, ein zweites.* Fass, das erste, das fasse Fass, das zweite. Fass, das erste, das fasse Fass, das zweite, von außen her. *Fass, das zweite, das fasse Fass, das erste. Fass, das zweite, das fasse Fass, das erste, von innen her.* / / Fass, das zweite, das sei eines, das stehe. Fass, das erste, das sei eines, das stand. *Fass, das erste, das sei eines, das Fass, das zweite, umstand.* Fass, das erste, das stehe nicht mehr. *Fass, das zweite, das stehe noch. Fass, das zweite, das stehe sehr.* Fass, das zweite, das sei allerdings ein ganz anderes als Fass, das erste. *Fass, das erste, das sei Haus gewesen. Fass, das zweite, das sei Haus keines mehr.*

/ / /

Haus, das sei. Haus, das sei eines keines. *Haus, das sei eines und noch eines.* Haus, das sei um Haus. Haus, das sei im Haus. *Haus, das sei eines, dann zwei in einem, dann wieder eines nur.* Haus, das dann wieder eines nur sei, das sei allerdings eines nur zum Scheine. Haus, das eines nur zum Scheine sei, das sei auch zwei in einem nie gewesen. *Haus, das eines nur zum Scheine sei, das sei auch schon im Haus, das eines gewesen sei, keines gewesen.* / / Haus, das sei. Haus, das sei eines keines. *Haus, das sei eines und noch eines. Haus, das sei eines und eines, das keines sei.* Haus, das eines sei, das sei um Haus, das keines sei. Haus, das keines sei, das sei im Haus, das eines sei. *Haus, das sei eines, dann eines um keines, dann nur noch keines.* / / Haus, das sei. Haus, das sei, das sei gar keines. *Haus, das sei, das sei keines, das stehe, wie sonst eines stehe. Haus, das sei, das sei keines, das fasse, wie sonst eines fasse.* Haus, das so sei, das sei gar keines. *Haus keines, das sei.* Haus keines, das sei, das stehe, wie sonst keines stehe. Haus keines, das sei, das fasse, wie sonst keines fasse. / / *Raum, der sei.* Raum, der sei im Haus. Raum, der sei im Haus, das eines sei. *Raum, der sei im Haus, das keines sei. Raum im Haus, das eines sei, der sei Ding im Haus, das keines sei.* Durchsichtbarer Raum im Haus, das eines sei, der sei undurchsichtbares Ding im Haus, das keines sei.

/ / /

Fass, das zweite, das sei eines, das vom durchsichtbaren Raum im Fass, dem ersten, eine Außenansicht sichtbar mache. Fass, das zweite, das sei keines, das vom Fass, dem ersten, eine Innenansicht sichtbar mache. Fass, das zweite, das mache von der Durchsichtbarkeit des Raumes im Fass, dem ersten, sichtbar nur ihre äußerste Schicht. Fass, das zweite, das mache von der Durchsichtbarkeit des Raumes im Fass, dem ersten, das nicht mehr sei, sichtbar genau jene Schicht, die der mit diesem gerade nicht mehr gemeinsam hatte. *Fass, das zweite, das könne diese äußerste Schicht von der Durchsichtbarkeit des Raumes im Fass, dem ersten, das nicht mehr sei, allerdings nur als undurchsichtbare sichtbar machen. Als diejenige nämlich, die der durchsichtbare Raum im Fass, dem ersten, das nicht mehr sei, nun mit der äußersten Schicht des Fasses, das noch sei, bereits gemeinsam habe.*

/ / /

Raum, der sei. Ding, das sei. *Raum, der sei durchsichtbar. Ding, das sei undurchsichtbar.* Ding, das sei sichtbar. Raum, der sei unsichtbar. *Raum, der mache sich nicht sichtbar. Ding, das mache sich nicht sichtbar.* Raum, der mache Ding sichtbar. *Ding, das sei undurchsichtbar. Raum, der sei durchsichtbar.* Ding, das sei als undurchsichtbares sichtbar. Raum, der sei als durchsichtbarer unsichtbar. *Raum, der mache Dinge sichtbar. Raum, der mache sich nicht sichtbar.* / / Durchsichtbares, das sei. Undurchsichtbares, das sei. *Undurchsichtbares, das sei Sichtbares. Durchsichtbares, das sei Unsichtbares.* Durchsichtbares, das mache Undurchsichtbares sichtbar. Durchsichtbares, das mache auch den Abstand zwischen Undurchsichtbarem sichtbar. *Durchsichtbares, das mache im Abstand zwischen dem, was es als Undurchsichtbares sichtbar mache, allerdings sich selber nicht sichtbar. Durchsichtbares, das mache sich nicht sichtbar.* / / Durchsichtbares, das sich sichtbar mache, das sei nie ganz durchsichtbar. Durchsichtbares, das sich sichtbar mache, das habe irgendwo und irgendwie immer noch einen Rest Undurchsichtbares an sich oder in sich. *Durchsichtbares, das sich sichtbar mache, das sei Durchsichtbares nur zum Scheine. Durchsichtbares, das mache sich nicht sichtbar.* / / Raum, was der von sich sichtbar mache, das sei schon Ding. Raum, der mache genau da, wo seine Durchsichtbarkeit ende, schon nicht mehr seine allerletzte durchsichtbare Schicht sichtbar. *Raum, der mache genau da, wo seine Durchsichtbarkeit ende, schon die allererste undurchsichtbare Schicht des Dings sichtbar.* Ding, das sei sichtbar. Raum, der sei unsichtbar. *Raum, der durchsichtbare, was der mit Dingen, den undurchsichtbaren, habe, das allerdings sei sichtbar.*

/ / /

Stein, der sei. Stein, der sei Fass. *Stein, der sei Fass, das von innen her fasse. Stein, der sei Fass, das den Raum, den der um sich habe, von innen her fasse.* Stein, der sei Fass, das von außen her fasse. Stein, der sei Fass, das den Raum, den der in sich habe, von außen her fasse. *Stein, der fasse sich.* / / Stein, der sei. *Stein, der sei Ding. Stein, der sei Fass, das wie ein Ding fasse.* Stein, der sei.

Stein, der sei Ding. *Stein, der sei ein undurchsichtbarer. Raum im Stein, der sei ein undurchsichtbarer.* Stein, der sei. Loch, das sei. *Raum im Loch im Stein, der sei ein durchsichtbarer.* / / Stein, der sei. Loch, das sei. *Loch im Stein, das sei.* Loch im Stein, das sei eines keines. Loch im Stein, das sei eines und noch eines und immer noch eines.

/ / /

Stein, der sei einer. Loch, das sei viele. Loch, das sei so viele, bis Stein kaum mehr einer sei. Stein, der kaum mehr einer sei, der sei einer aus Loch beinahe nur. *Stein, der kaum mehr einer sei, der sei einer aus Loch beinahe ganz.* Loch, das sei. Loch, das sei mit Loch. *Loch, das sei mit Loch so sehr, bis Stein sei beinahe keiner mehr. Loch, das sei bei Loch so nahe, bis Stein sei Loch beinahe ganz.*

/ / /

Ding, das sei. Loch, das sei. *Loch, das mache vom undurchsichtbaren Raum, den das Ding in sich habe, ein Stück durchsichtbar. Loch, das mache den durchsichtbaren Raum, den das in sich habe, allerdings nicht sichtbar.* Loch, das mache sich sichtbar. / / *Loch, das sei ein Ding und doch auch keines. Loch, das sei kein Raum und doch auch einer.* Raum, der sei im Loch. Raum, der sei um Loch. *Raum, der sei als durchsichtbarer im Loch. Raum, der sei als undurchsichtbarer um Loch.* / / Loch, das sei Ding am Rande nur. Lochs Rand, der sei Ding. *Loch, das sei ohne Rand Raum.* Loch, das sei mit Rand Ding. Lochs Rand, der sei Dings Rand. *Loch, das sei Ding an eigenem Rande am Rande nur. Loch, das sei Ding an fremdem Rande erst.* Loch mit Rand, das sei Ding. Loch ohne Rand, das sei Raum.

/ / /

Raum, den Stein zwischen seinen Löchern habe, der sei nicht sichtbar. Raum aber, den Stein in seinen Löchern habe, der sei nicht sichtbarer. Löcher im Stein, die seien sichtbar. Raum, der in den Löchern sei, der mache die sichtbar. *Raum, der in den Löchern sei, der mache sich nicht sichtbar.* / / Raum, den Stein in seinen Löchern habe, der sei ein durchsichtbarer. Raum, den Stein zwischen seinen Löchern habe, der sei ein undurchsichtbarer. *Raum, den Stein zwischen seinen Löchern habe, der sei ein unsichtbarer. Raum, den Stein in seinen Löchern habe, der bleibe ein unsichtbarer auch.* / / Raum, der durchsichtbare, der selber sei nicht sichtbar. Loch, das durchsichtbare, das sei sichtbar. *Loch, das durchsichtbare, von dem sei sein Rand sichtbar. Rand vom Loch, der sei ein undurchsichtbarer.* Rand, der undurchsichtbare, vom Loch, dem durchsichtbaren, der sei sichtbar.

Tony Cragg, ***Shields,***
Granit, ca. 170 × 250 × 250 cm, Foto: Markus Mittringer. © VBK Wien.

/ / /
Rand, der sei Lochs Innenansicht. Loch, das habe von sich eine Innenansicht nur. Lochs Innenansicht, die sei allerdings zugleich eine Außenansicht des Steins, in dem das sei. Loch, das habe so eine Außenansicht auch. *Doch Loch, das habe keine Außenansicht von sich. Innenansicht des Lochs, die sei Außenansicht des Steins, in dem das sei.* / / Raum, der durchsichtbare, der mache keine Außenansicht von sich im Loch sichtbar. Raum, der durchsichtbare, der mache vom Raum, dem undurchsichtbaren, eine Außenansicht im Loch sichtbar. *Raum, der durchsichtbare, der mache vom Stein im Loch eine Außenansicht sichtbar. Raum, der durchsichtbare, der mache vom Stein sogar im Loch noch eine Außenansicht sichtbar.*
/ / /
Stein, aus Löchern beinahe ganz, in dem seien Außenansichten seiner selbst sichtbar. Stein, aus Löchern beinahe ganz, in dem seien keine Innenansichten seiner selbst sichtbar. *Stein, aus Löchern beinahe ganz, in dem seien wohl ihre Innenansichten sichtbar. Ihre Innenansichten allerdings, die seien seine Außenansichten.* / / Stein, aus Löchern beinahe ganz, von dem mache der Raum, den die in sich haben, lauter allererste Schichten seiner Undurchsichtbarkeit sichtbar. Stein, aus Löchern ganz, von dem mache der Raum, den die in sich haben, immer schon die allerersten Schichten des Raumes sichtbar, den die um sich haben. *Stein, aus Löchern beinahe ganz, von dem mache der Raum, den die in sich haben, keine allerletzten Schichten seiner Durchsichtbarkeit sichtbar.*
/ / /
Raum, der sei. Ding, das sei. *Loch, das sei. Raum, der durchsichtbare, der mache noch nicht einmal im Loch sich sichtbar.* Raum, der durchsichtbare, der mache noch im Loch nur Ding, das undurchsichtbare, sichtbar. Raum, der durchsichtbare, der mache noch im Loch nur aller Dinge Undurchsichtbares sichtbar. / / *Raum, der durchsichtbare, was der mit aller Dinge Undurchsichtbarem habe, das mache der im Loch aber auch schon sichtbar. Raum, der durchsichtbare, was der mit aller Dinge Undurchsichtbarem habe, das allerdings sei so undurchsichtbar wie diese oft nicht.* Raum, der durchsichtbare, was der mit aller Dinge Undurchsichtbarem habe, das allerdings sei so durchsichtbar wie im Loch auch nicht immer. / / Raum, der unsichtbare, was der mit Dingen, den sichtbaren, habe, das jedenfalls mache der sichtbarer als sich. *Raum, der unsichtbare, was der mit Dingen, den sichtbaren, habe, das mache der in sich sichtbarer als sich. Raum, der, was der mit Dingen habe, an und in diesen sichtbar mache, das alles mache der in sich sichtbar, ohne dass der sich selber sichtbar mache.*
/ / /
Raum, was der mit den Dingen habe, das sei, was der mit Dingen habe, die was mit Dingen haben. Dinge, was die mit dem Raum haben, das sei, was die, weil sie was mit Dingen haben, mit dem Raum haben. *Dinge, die nichts mit Dingen haben, die können auch mit dem Raum nichts haben. Dass Dinge, die nichts mit Dingen haben, dennoch mit dem Raum was haben, das sei ein Ding der Unmöglichkeit.* Ding, das könne für sich allein mit dem Raum nie was haben, da Ding mit Ding sein müsse, damit Ding überhaupt sei.
/ / /
Eine Philosophie des Raumes, die müsse zugleich eine Philosophie der Dinge sein. Und eine Philosophie der Dinge, die könne im Kern nichts anderes sein als eine Philosophie des Gegenstands. Denn Ding, jedes, das sei Gegenstand. Eine Philosophie des Raumes, die könne überhaupt nur vom Ding aus gedacht werden. *Denn Ich, auch das sei Ding. Denn Ich, auch das sei Gegenstand.*
/ / /
Raum, den könne Ich als einen, der für sich allein sei, nie betrachten. *Raum, den könne Ich als einen, der einer mit Dingen sei, immer nur betrachten. Raum, den könne Ich als einen mit Dingen immer nur betrachten, von denen es auch selber eines sei.* Raum, den könne Ich als einen mit Dingen und sich immer nur betrachten. Raum, den könne Ich als einen mit anderen Dingen, darunter auch solchen, die wie es selber seien, immer nur betrachten. *Raum, den könne Ich als einen mit anderen Dingen und von solchen, die wie es selber seien, mit einem zumindest, immer nur betrachten.*
/ / /
Raum, der sei. Ding, das sei. *Raum, der sei keiner des Dings. Raum, der sei einer der Dinge.* Raum, der sei einer eines Dings nie. Raum, der sei einer vieler Dinge immer. *Raum, der sei ein polygamer. Raum, der sei kein monogamer.* Raum, der könne monogam nicht. Raum, der könne polygam nur. *Raum, einer mit Dingen, der könne monogam nicht. Raum, einer mit Dingen, der könne polygam nur.* Raum, einer ohne Dinge, der könne monogam noch nicht einmal. *Raum, in dem Ding mit Ding mit Ding sei, der könne monogam nicht. Raum, in dem Ding mit Ding mit Ding sei, der könne polygam nur.* Raum, in dem kein Ding sei, der könne monogam noch nicht einmal.
/ / /

Raum, der sei. Ding, das sei. Raum, der sei einer. Ding, das sei viele. *Raum, der sei einer mit vielen Dingen.* Affäre, die sei. *Affäre, die sei eine keine. Affäre, die sei viele.* Affäre, die sei eine des Raumes. *Affäre, die eine des Raumes sei, die könne eine keine sein. Affäre, die eine des Raumes sei, die müsse viele sein.* Affäre, die sei eine des Raumes, der einer mit vielen Dingen sei. Affäre, die eine des Raumes, des einen, mit Dingen, den vielen, sei, die müsse viele sein.

/ / /

Affäre, eine des Raumes, die könne eine skandalöse nie sein. Affäre, jede, die könne als Beziehung in sich eine skandalöse nie sein. Affäre, jede, die könne wohl aber als Beziehung neben einer Beziehung eine skandalöse sein. *Affäre, jede, die könne als Beziehung neben einer Beziehung eine skandalöse allerdings auch nur neben einer sein, die* für sich beanspruchen *dürfe, eine ausschließliche zu sein.* Eine ausschließliche sein zu dürfen, das könne unter allen Beziehungen des Raumes mit den Dingen jedoch keine für sich beanspruchen.

/ / /

Affären, die seien. Affären des Raumes, die seien. Affären mit Dingen, die seien. *Affären des Raumes, die seien Affären mit Dingen.* Affären mit Dingen, die seien neben Affären mit Dingen. Affären mit Dingen, die seien mit Affären mit Dingen. *Affären mit Dingen, die seien um und um.* Affären des Raumes, die seien Parallelaffären. Affären des Raumes, die seien Parallelaffären mit Dingen. / / *Raum, der sei. Raum, der sei einer der Dinge.* Raum, der sei einer der Affären mit Dingen. Raum, der sei einer der Parallelaffären mit Dingen. *Raum, der sei simultan ein polygamer. Raum, der sei simultan ein polyfigurativer.*

/ / /

Ding, das sei. Ding, das sei eines keines. *Ding, das sei eines und noch eines und immer noch eines. Ding, das sei viele.* Ding, das sei mit Ding. Ding, eines, das sei mit Ding, noch einem, und Ding, immer noch einem. *Ding, das mache mit Ding was. Ding, was das mit Ding mache, das sei Raum nicht.* Ding, was das mit Ding mache, das sei eine Form des Raumes allerdings. Ding, was das mit Ding mache, das sei eine Form des Raumes jedenfalls. *Raum, der sei keiner, der seine Form von sich her habe. Raum, der sei einer, der seine Form von den Dingen her habe.* Raum, der sei einer, der seine Form von den Stellungen der Dinge her habe. *Form, die sei Figur.* Ding, was das mit Ding mache, das sei eine Figur des Raumes. Raum, der habe seine Figur von den Dingen her. *Raum, der sei einer, der seine Figur von den Stellungen der Dinge her habe.* Raum, der habe in jeder Stellung der Dinge eine Figur. Raum, der habe in jeder anderen Stellung der Dinge noch eine Figur und immer noch eine. *Raum, der sei in jeder Affäre ein figurativer. Raum, der sei in seinen Parallelaffären ein polyfigurativer.*

/ / /

Stellung der Dinge, die sei. Stellung der Dinge, in der sei Hinstellung von Dingen. *Stellung der Dinge, in der sei Herstellung von Dingen. Stellung der Dinge, in der sei Hinstellung von Dingen mit Hinstellung von Dingen.* Stellung der Dinge, in der sei aus Hinstellung von Dingen mit Hinstellung von Dingen Herstellung von Dingen. *Hinstellung mit Hinstellung, die sei Hinstellung gegen Hinstellung. Stellung, in der sei Hinstellung gegen Hinstellung.* Stellung, in der sei Herstellung aus Hinstellung gegen Hinstellung. / / *Hinstellung von Dingen, die sei eine von hergestellten keinesfalls immer.* Hinstellung von Dingen, die sei Herstellung von Dingen allerdings jedenfalls. Hinstellung, in der sei Herstellung wie von selbst. / / *Hinstellung, in der sei Herstellung von Verstellung aber auch schon. Verstellung, die sei in jeder Hinstellung.* Verstellung, die sei in jeder Hinstellung eine, in der Ding, ein eines, Ding, ein anderes, verstelle. Verstellung, die sei in jeder Hinstellung umgekehrt zugleich eine, in der Ding, das andere, Ding, das eine verstelle. *Verstellung, die sei so in jeder Hinstellung niemals nur eine. Verstellung, die sei so in jeder Hinstellung zwei zumindest.* Verstellung, die sei so in jeder Hinstellung eine, in der kein Ding mehr sei, wie das sonst sei. Verstellung, die sei so in jeder Hinstellung eine, in der kein Ding mehr sei, wie das ohne diese sei. *Verstellung, die sei so in jeder Hinstellung eine, in der Ding, ein jedes, mit Grund von sich meinen machen könne, es sei nicht mehr, was und wie das ohne diese sei.* Hinstellung, in der sei Herstellung von Verstellung von Grund auf schon. Verstellung der Dinge, die sei in jeder Stellung der Dinge.

/ / /

Ich, das sei. Ich, das sei selber eines, das sich hinstelle und herstelle. Ich, das sei selber eines, das zwischen Hinstellungen sich hinstelle. Ich, das selber eines sei, das zwischen Hinstellungen sich hinstelle, das mache daraus seine eigenen Herstellungen. *Ich, das selber eines sei, das aus Hinstellungen, zwischen die es sich hinstelle, seine eigenen Herstellungen mache, das sei eines, das so auch sich selber herstelle.* / / Ich, das selber eines sei, das zwischen Hinstellungen sich hinstelle, das mache daraus seine eigenen Verstellungen. *Ich, das selber eines sei, das aus Hinstellungen, zwischen die es sich hinstelle, seine eigenen Verstellungen*

mache, das sei eines, das so auch sich selber verstelle.

/ / /

Affären des Raumes, die seien. Affären des Raumes, die seien Affären mit Dingen. *Affären mit Dingen, die seien Verstellungen von Dingen.* Affären des Raumes, in denen verstellen Dinge Dinge. Affären des Raumes, in denen verstellen Dinge sich.

/ / /

Ich, das sei. Ich, das sei eines keines. Ich, das sei eines und noch eines und immer noch eines. *Hinstellungen des Ich, die seien. Verstellungen des Ich, die seien.* Ich, das sei viele. *Hinstellungen des Ich, die seien viele. Herstellungen des Ich, die seien viele.* Publikum, das sei. Publikum, in dem sei Ich, eines, mit Ich, noch einem, mit Ich, immer noch einem. *Publikum, in dem sei Ich, eines, mit Ich, vielen.* Publikum, in dem sei Wir dennoch keines. Publikum, in dem sei trotz Ich, so vieler, Wir keines. *Publikum, in dem bleibe Ich Ich. Publikum, in dem bleibe jedes Ich für sich.* Publikum, in dem habe Raum keine Affäre mit einem Wir. Publikum, in dem habe Raum eine Affäre mit jedem einzelnen Ich.

/ / /

Affäre, die sei. À faire, das sei. Zu tun, das sei. *Zu tun, das sei im Raum. Zu tun, das sei mit Dingen.* Was zu tun sei, das sei im Raum zu tun. Was zu tun sei, das sei mit Dingen zu tun.

/ / /

Was zu tun sei, das tue Ich. Was zu tun sei, das tue Ich, ein eines. Was zu tun sei, das tue Ich, ein anderes. *Was zu tun sei, das tue Ich, ein eines, so. Was zu tun sei, das tue Ich, ein anderes, anders.*

/ / /

Affären des Raumes, die seien welche mit Dingen. Affären des Raumes, die welche mit Dingen seien, die seien mit Ich immer welche. *Affären des Raumes, die seien mit jedem Ich verschiedene. Affären des Raumes, die seien mit jedem Ich in jedem seiner Standpunkte verschiedene.* Affären des Raumes, die seien mit jedem Ich in jedem seiner Standpunkte als Verstellungen der Dinge verschiedene.

/ / /

Ich, das sei eines, das gehe. Ich, eines, das gehe, das habe Weite zwischen den Beinen. Ich, eines, das Weite zwischen den Beinen habe, das habe Standpunkte viele. *Ich, so eines, das sei viele.*

/ / /

Johannes Stahl

Dinge zwischen Raum, Sinn und Verabredung
Objects between Space, Meaning, and Engagements

Es ist kaum möglich, über Erlebnisse, Vorstellungen oder Gedanken zu sprechen, ohne räumliche Bilder in seinem Kopf zu bewegen. Die Philosophiegeschichte hat sich daher eingehend mit Raumvorstellungen befasst[1] – und dabei eine ihr eigentümliche schlingernde oder, charmanter ausgedrückt, kreisende Bewegung zurückgelegt.[2] Es ist an dieser Stelle keineswegs beabsichtigt, den zahlreichen Erläuterungen, Ableitungen und Manifestationen eines schwer einzukreisenden Feldes ein weiteres Traktat hinzuzufügen. Eine Ausstellung mit künstlerischen Formen aus den letzten Dekaden kann jedoch der Anlass sein, sich von dieser Plattform aus einem Gegenstand anzunähern, der in seiner Komplexheit selten alle seine Aspekte auf ein Mal offenbaren wird. Der rezeptive Tanz im Raum, zwischen den Objekten und zwischen ihren Tendenzen in den Raum hinein ist der Anlass dieses Textes. Das geplante Rendezvous zwischen den Objekten existiert bislang nur als Verabredung: „space is made by sex of things. sex of things is made in space",[3] sagt der Kurator. Eine Mischung aus Raumvorstellungen und ein ungewisses Mehr also werden sich in der Zusammenstellung der Ausstellung materialisieren. Zunächst aber nimmt jedes Kunstwerk selbst einen wahrnehmbaren Raum ein.[4] Das wird im Zweifelsfall verhindern, dass die in diesem Text notwendigerweise abstrakte Betrachtung eines noch nicht existierenden Erlebnisses den Weg zurück in die je eigene Lebenswelt und Erfahrung der BetrachterInnen verstellt. Wer das Wortfeld um das Ausstellen abschreitet, wird rasch merken, dass neben der Ebene des räumlich Kompositorischen im Zusam-

It is almost impossible to talk about experiences, ideas or thoughts without moving spatial images around in our minds at the same time. The history of philosophy has extensively explored notions of space[1] – and, in doing so, has traced out a somewhat erratic path or, to put it more politely, a circular movement.[2] Our intention here is by no means to add yet another treatise to the many explanations, derivations, and manifestations on a field difficult to circumscribe. However, an exhibition featuring artistic forms of the last few decades can provide an opportunity, a platform from which to approach a subject that, given its complexity, is unlikely to reveal all of its aspects at once. So this essay is prompted by the receptive dance within space, between objects, and between their tendencies into the space itself. So far the planned rendezvous among the objects exists only as an agreement to meet: 'space is made by sex of things. sex of things is made in space',[3] says the curator. So a mix of spatial concepts and an uncertain added extra will materialize as the exhibition is put together. But first every work of art itself takes up a perceptible space.[4] In case of doubt this will ensure that this essay's necessarily abstract consideration of an – as yet non-extant – experience does not obstruct the viewer's path back to his or her own life-world and experience.
Any consideration of the semantics of 'exhibition' soon reveals that, alongside the level of the spatially compositional, social interrelationships play a key role in putting an art space together. This in turn sets the stage for the curator or custodian, whose chosen approach may be more artistic, commercial, or scientific

Koffer mit noch ungeordnetem Vorrat für psychologische Sitzung |
Suitcase with Still Unsorted Contents for Psychological Session,
Dank an Reiff + Schmitz, Unternehmensberatung, Köln |
Thanks to RS Consulting, Cologne

menstellen für einen Kunstraum vor allem soziale Zusammenhänge eine Rolle spielen. Damit kommt der eher künstlerisch, geschäftlich oder wissenschaftlich-systematisch agierende Kurator oder Kustos ins Blickfeld. Vor seiner notwendigerweise absichtsgeleiteten Sicht warnte bereits Rainer Maria Rilke: „Man erfährt manches, wenn man ihn ruft; wenn man es aber versteht, ohne ihn auszukommen, ist man mehr allein und ungestört und erfährt noch mehr."[5] Der nun von hier aus unternommene Versuch zieht die Konsequenzen aus dieser Warnung und legt daher zugrunde, was BetrachterInnen dieser Ausstellung möglicherweise (denn es handelt sich hier um eine je individuell zu füllende Vorstellung) mit auf den Weg in eine solche Ausstellung bringen könnten.

Der Griff in den Topf

Im frühkindlichen Stadium – so sehen es EntwicklungspsychologInnen – nimmt ein Kind die Welt zunächst nicht von sich selbst getrennt wahr, sondern mit der eigenen Person zu einem eher flächig wahrgenommenen Kontinuum verschmolzen. Erst mit dem Bewusstsein für den eigenen Griff in die dritte Dimension entsteht eine schärfere Vorstellung vom Räumlichen und überhaupt von Welt.

and systematic. Rainer Maria Rilke cautioned against this inevitably intention-driven view more than a century ago: 'Much is to be learned by calling on them; but if we can do without their knowledge, and observe the work alone and undisturbed, we experience even more.'[5] So the attempt essayed here draws the consequences from that warning and therefore takes account of what viewers of this exhibition might themselves bring along as they enter the space (indeed, what we have here is a performance which each individual has to fill out for themselves).

Reaching out

According to developmental psychologists, an infant initially does not perceive the world as a discrete separate entity, but rather as conflated with his or her own self to form a more or less two-dimensional continuum. It is only with the awareness of actually reaching out into the third dimension that the infant acquires a keener sense of the spatial in particular and the world in general. In this context, comprehending (or 'grasping') is a multilayered word. 'Thou art like the spirit, thou dost comprehend, / Not me!' the earth spirit informs the inquisitive Faust, who had invoked him as a kindred soul[6] – thus relegating the now nonplussed, knowl-

Begreifen ist hier eine mehrschichtige Vokabel. „Du gleichst dem Geist, den du begreifst, / Nicht mir!", bescheidet der Erdgeist dem forschenden Faust, nachdem der ihn gerufen und als seelenverwandt bezeichnet hat[6] – und verbannt den wissbegierigen und an seine Grenzen geratenen Forscher damit gewissermaßen in die frühkindlichen Phasen samt den dazugehörigen Erkenntnismöglichkeiten. Die Folgen im Faustdrama sind bekannt: Die Begegnung mit Mephisto bringt neue Chancen und entsprechende Konflikte – für die Vorstellung vom Räumlichen wie überhaupt.
Für die Theorie der plastischen Künste ist dieses Verdikt des Erdgeistes keineswegs banal. Den eigenen Körperabdruck im Schnee oder Sand ausformen oder gar eine Sandburg bauen: Plastische Erlebnisse fangen zumeist mit dem eigenen Körper an. KünstlerInnen, die mit Ton umgehen, unterstellt man ein enges Verhältnis zur Materie an sich – weitaus mehr, als das bei anderen Medien und technischen Ausdrucksformen der Fall wäre. Der direkte und manuelle Umgang mit einem grundsätzlichen Material zeichnet die Beschäftigung mit Irdenem aus. Werkzeuge spielen ihre Rollen, sind gegenüber dem unmittelbar Händischen[7] aber zunächst sekundär. Sind nach dem zweiten Schöpfungsbericht in der Genesis nicht überhaupt Menschen aus Erde geschaffen worden?

Body Index

Konfektionsgrößen haben eigentümliche Grenzen: Von Land zu Land fallen sie unterschiedlich aus, nach ihren eigenen numerischen Regeln, aber auch in der generellen Nomenklatur. Jede/r TextilfachverkäuferIn wird darauf hinweisen, dass Kleidung in der Fertigung unterschiedlich ausfällt. Während es bei Kindern noch relativ einfach ist, diese Maße an der jeweiligen Körpergröße festzumachen, divergiert die Normierung für Erwachsene möglicherweise auch deshalb, weil sie eine oft ungeliebte Skala körperlicher Veränderungen ist. Der Blick in den Spiegel offenbart, wie sich der eigene Körper ansieht und anfühlt, möglicherweise auch wie er sich wieder verändert hat – was gerade im Verhältnis zum gleich gebliebenen Umraum als Maßstab deutlich wird. Die textile Umhüllung der Nacktheit hat neben

edge-seeking scholar to his early childhood, as it were, and the learning opportunities associated therewith. The consequences in the Faustian drama are well known: the encounter with Mephistopheles brings new opportunities and commensurate conflicts – for the sense of the spatial as well as everything else.
For the theory of visual arts, this verdict of the earth spirit is by no means banal. Our very first visual or plastic experiences usually involved our own body: the impression our body might have left in the snow or sand, or even building a sand castle. Artists who work with clay are said to have a close relationship with the material itself – far more than would otherwise be the case with other media or technological forms of expression. The direct, manual handling of an essential material characterizes the preoccupation with the earthen. And while tools play a role, they are merely secondary compared with the direct manual contact.[7] Indeed, doesn't the second creation narrative in Genesis state that man was fashioned from clay?

Body index

Clothes sizes have peculiar demarcations. They differ from country to country according to their own numbering systems, but also in their general nomenclature. As any clothes sales assistant knows, a finished garment may vary in size as a result of the manufacturing process. And while, with children, it is still relatively easy to determine these sizes based on body height, with adults one of the reasons the standardization may diverge is that it is often an unloved measure of physical change. A glance in the mirror reveals what our body looks and feels like, possibly also how it has changed, yet again – a change made all the clearer when measured against the yardstick of one's (unchanged) surroundings.
Leaving the cultural (and possibly erotic) aspects aside, enveloping nakedness in textile layers fulfils a fundamental task. It provides the body with a type of shell, something between a membrane or skin and a house or home. Depending on taste and function, that casing is either a closely fitting replica of the body or a roomy space that allows movement and growth. Such a banal distinction is highly

kulturellen (und möglicherweise erotischen) Bewandtnissen eine grundlegende Aufgabe: Sie gibt dem Körper eine Art Schale, die zwischen den Polen Haut und Haus zu denken ist. Je nach Geschmack und Funktion ist diese Hülle eng anliegendes Abbild des Körpers oder geräumiger Bewegungs- und Zuwachsraum. Eine solche banale Unterscheidung ist für die bei Raumfragen allfälligen Grenzen hoch relevant: Ist Kleidung bei der Raumerfahrung Teil des Körpers oder ist sie bereits die erste Form von Architektur? Immerhin resultiert das Wort „Wand" aus dem Winden von Weiden,[8] einer Technik, mit der sowohl Kleidung hergestellt werden konnte als auch kleine Behältnisse oder eben Architektur.

In prägnanter Weise haben das die Bekleidungen der Eremiten – beispielsweise Paulus von Tarsus oder Onophrius – vor Augen geführt. Ihre aus Palmwedeln geflochtenen Kittel sind Wand und Kleid zugleich; ihre zurückgezogene Wohn- und Lebenssituation in einer Wüstenhöhle hat ebenso mit der Besinnung auf basale Grundbedürfnisse zu tun wie mit dem Versuch, mental die Wände falscher Denkgewohnheiten zu durchbrechen. Ihre in der Malerei eines Grunewald oder Collantes zelebrierte Kleidung, aber auch ihre sonstige Nacktheit transportieren diesen Purismus.

relevant to the demarcations that may come into play with spatial issues: when it comes to experiencing space, is clothing part of the body or is it already the first form of architecture? After all, the German word *Wand* (wall) refers to the weaving of willow twigs,[8] a technique used for making clothing as well as small receptacles or indeed architectural constructs.

The clothing worn by hermits – such as Saint Paul or Onuphrius – demonstrates this most succinctly. Their smocks woven out of palm fronds are both a wall and a garment; their secluded existence in desert caves has as much to do with a reflection on fundamental needs as the attempt mentally to break through the walls of false ways of thinking. Their attire, as celebrated in the paintings of Grunewald or Collantes, but also their nakedness, convey this purism.

Artists adopt a similar approach whenever they use their own body to measure out the space around them. They sound out the space as a material construct, but also as a mental one. Their own skin or its extension in the form of clothing comes into contact with a reality which – while initially spatially perceptible – becomes recognizable and comprehensible as a condition of being.

Francisco Collantes, *St. Onuphrius*, 1645
Öl auf Leinwand | oil on canvas, 170 × 108 cm
© Museo Nacional del Prado – Madrid, Spanien | Spain

Wenn KünstlerInnen mit ihrem eigenen Körper den Umraum ausmessen, nehmen sie eine ähnliche Richtung: Sie loten den Raum als ein materielles, aber auch als ein geistiges Konstrukt aus. Die eigene Haut oder deren Erweiterung als Kleidung tritt in Kontakt mit einer Wirklichkeit, die – zunächst räumlich begreifbar – als Seinsbedingung erkennbar und nachvollziehbar wird.

Mobilität

Während die Ansage im Zug das Erreichen eines nächsten Bahnhofs ankündigt, läuft visuell etwas völlig anderes ab: Ein Film spult eine Landschaft vor unseren Augen ab, und am Ende dieser Landschaft erscheint der angesagte Hauptbahnhof, wie ein erwarteter Höhe- und Endpunkt der Vorführung. Diese Wahrnehmung hat viel mit den Erlebniswelten des Kinos zu tun. Aus der Perspektive des/r Betrachters/in, der/die fest und motorisch passiv auf dem Sessel sitzt, ist es das Reiseziel, was sich aktiv nähert. Den Blick erreicht ein Eindruck – und letztlich ereilt ihn das Ziel. Diese Optik könnte nicht zuletzt daran liegen, dass umschlossene Karosserien Räume sind, die ihre Eigengesetzlichkeit haben. Und wenn Züge, Kreuzfahrtschiffe oder Flugzeuge höher organisierte öffentliche Räume sind (meistens mit Gastronomie und Toilette), weisen die Autos alle Anzeichen des einzelnen privaten Wohnraums auf und scheinen auch mit der weiteren Entwicklung seiner Ausstattung gekoppelt.

Die trügerische Ansage verwischt allerdings einen gewichtigen Unterschied zwischen Individualverkehr und Zug oder Flugzeug. Lenkrad und Gaspedal lassen das Gefühl bestehen, aktiv zu sein, das Erreichen des Ziels durch körperlichen Einsatz selbst zu bewerkstelligen. „Automobil" bekommt hier einen eigentümlich doppelten Wortsinn: Als Gegensatz zur durch Pferde fremd bewegten Kutsche als selbst bewegende Maschine ausgezeichnet, betonen die heutige Reklame oder ein Firmenname wie Volvo („ich rolle") eher die Idee, deren BesitzerIn bewege sich damit selbst.[9] Möglicherweise merkt man erst im Stau, dass die Idee dieser eigenen Bewegung in ein recht komplexes Gefüge eingebunden ist.

Mobility

As the on-board announcement signals the train's imminent arrival at the next station, what we see visually is completely different. A film reels off a landscape before our eyes, and – as previously announced – the railway station comes into view at the end of that landscape, like an anticipated highlight and end point in the screening. This perception has a lot to do with our cinematic experiences. From the spectator's perspective, still and static in his seat, it is the journey's destination that is fast approaching. An impression reaches his gaze – and ultimately the destination catches up with him. This visual impression might be due not least to the fact that a fully enclosed compartment constitutes a space that has its own autonomy. And if trains, cruise liners and airplanes represent more highly organized public spaces (usually with catering and WCs), then the car has all the hallmarks of an individual private living space and also appears to correlate with the advancements in its equipment. However, that deceptive announcement blurs an important difference between private means of transport and a train or airplane. The steering wheel and accelerator pedal suggest a sense of being actively involved, of purposefully reaching the destination through one's own physical effort. Here the word 'automobile' has a strange double meaning. With cars characterized as auto-mobile machines, as opposed to the (literally horse-powered) horse-drawn carriage, contemporary advertising and even company names such as Volvo ('I roll') emphasize the idea that it is the vehicle's owner who is in fact auto-mobile.[9] It is perhaps only once we are caught up in a traffic jam that we begin to realize that this idea of our own mobility is part of quite a complex construct.

Prisons

Looking at walls and partitions is rarely just a visual observation of the brickwork as a material structure. On the contrary: the motif has almost given rise to a genre in itself, with clear influences from all kinds of artistic media, ranging from painting to sculpture and technologically generated images. Every glance at those walls involves interpretations of content.

Gefängnisse

Der Blick auf Mauern und Wände ist selten allein eine Inaugenscheinnahme des Mauerwerks als materielle Konstruktion. Im Gegenteil: Dieses Bildmotiv hat inzwischen nahezu eine eigene Sparte hervorgebracht, mit deutlichen Einflüssen aus den unterschiedlichsten künstlerischen Medien zwischen Malerei, Plastik und technisch erzeugtem Bild. Jeder Blick auf diese Wände birgt inhaltliche Lesarten. Geradezu archetypisch führt das eine kleine Szene in Jim Jarmuschs Film „Down by Law" (1986) vor Augen. Der von Roberto Benigni hinreißend gespielte Roberto müht sich im Gefängnis um das Erlernen der englischen Sprache. Für eine grammatikalische Unterscheidung, die ihn beschäftigt, hat er ein Fenster auf die Gefängniswand gezeichnet. Seinen Zellengenossen Zack fragt er, wie es heißen soll: „Do I look at the window or do I look out of the window?" Der kleine semiotische Exkurs fasst in einem Satz viel zusammen. Es geht um die Differenz zwischen beobachtendem, nutzendem und teilnehmend beobachtendem Situationsbezug; schließlich schaut auch der/die KinobesucherIn auf das Fenster. Die Mauer selbst erweist sich so als mehrschichtig sozial aufgeladen: als Schutz vor äußeren Witterungseinflüssen, als Grenzmarkierung zwischen privat und öffentlich und nicht zuletzt als soziale Barriere, wie sie Kafka in seinem Schloss zu gespenstischen Dimensionen ausgebaut hat. Dass gerade Gefängnismauern als starke Bildkatalysatoren wahrgenommen werden können, ist spätestens seit Leonardo da Vincis Traktat über die Malerei ein dynamischer Diskussionsprozess geworden.[10] Heute wäre in diesem Zusammenhang an eine Vielzahl bildtherapeutischer Ansätze zu erinnern, die am Umstand der räumlichen Begrenzung für die Insassen ansetzen.[11]

Im Rezeptionsraum

Der Eingangsbereich von Hotellobbys weist einen Raum auf, der mit dem Wort „Rezeption" gekennzeichnet wird. Das ist keineswegs ein Zufall. Auch wenn niemand bestreiten wird, dass er dem Empfang neuer Gäste und den zugehörigen Formalitäten gewidmet ist, über-

This is demonstrated almost archetypically by a small scene in Jim Jarmusch's film *Down by Law* (1986). In prison, Roberto, delightfully played by Roberto Benigni, is trying very hard to learn English. To help with a grammatical distinction he is struggling to understand, he has drawn a window on the cell wall. He asks his cell mate Zack what is correct: 'Do I look at the window or do I look out of the window?' This small semiotic digression sums up a great deal in one sentence. It is about the difference between an observing, a utilizing and a participatory situational context; the cinema audience is, after all, looking at the window, too. The wall itself thus proves to be socially charged with several layers: as a protection against outside weather conditions; as a demarcation between the private and the public; and not least as a social barrier of the kind Kafka developed to spectral proportions in The Castle. The fact that prison walls in particular can be perceived as powerful image catalysts has become a dynamic discussion process at least since Leonardo da Vinci's treatise on painting.[10] Nowadays one would refer in this context to a multitude of image-based therapeutic approaches that take their starting point in the circumstance of the inmates' spatial confinement.[11]

Reception space

The entrance area of a hotel lobby comprises a space identified by the word 'reception'. This is by no means a coincidence. Of course, no one disputes the fact that such a space is given over to welcoming new guests and attending to the related formalities; nonetheless the receptionist's field of activity by far exceeds this framework. He is a supervisor for whom accurately perceiving what goes on in the hotel is essential – and puts him in the position of creating a good atmosphere. This personal reception work has long been augmented by technological means. And while most people would object to their hotel room being under any such surveillance, when it comes to the reception space they fully accept that all the comings and goings should be recorded in this way using technological media.

Generally speaking, the electronic surveillance of spaces has now become relatively com-

schreitet das Tätigkeitsfeld des/der Rezeptionisten/in diesen Rahmen bei weitem. Er/sie ist eine Aufsichtsperson, für die eine genaue Wahrnehmung des Geschehens im Hotel grundlegend ist – und ihn/sie in die Lage versetzt, die Atmosphäre zu verbessern. Längst haben technische Möglichkeiten gegriffen, die diese persönliche Rezeptionsarbeit unterstützen. Gegen die Überwachung des eigenen Hotelzimmers würde man sich verwahren, für die Empfangssituation ist diese mediale Chronik des Kommens und Gehens akzeptiert. Ganz generell ist die elektronische Überwachung von Räumen heute ein vergleichsweise normaler Umstand geworden. Während das Siedlungsanlagen der 1920er Jahre noch in der Zuordnung von Spielwiese der Kinder und Küchenfenster als Überwachungsmöglichkeit der Mütter mit architektonischen Mitteln organisierten,[12] ist diese Form von Kontrolle heute ein weitgehend elektronischer Bereich der Raumwahrnehmung geworden. Die räumliche Zuordnung rezeptiver Situationen und Wege fällt dadurch recht schwammig und undefiniert aus – möglicherweise, weil diese formale Seite kaum je gestalterisch überzeugend bedacht worden ist. Ein Ansatz hierfür ist, dass jede Kamera zunächst einmal auch als Raum existiert, als eine Kammer mit einem Loch, das Bilder erzeugt.[13]

Sprachraum

Wenn Kinder Sprechen lernen, stagniert oft die Entwicklung der Motorik. Möglicherweise greift der Zusammenhang zwischen Motorik und verbaler Kompetenz tiefer als in den Überlastungsszenarien dargestellt, mit denen MedizinerInnen das Phänomen beschreiben. Immerhin erfüllen gut zusammengesetzte Worte eine Dynamik, die jener des mobilen Alltags kaum nachsteht.

Lesen ist auch deshalb schwer, weil die Beziehung zwischen Buchstaben und Worten einen Bezugsraum auf der Seite voraussetzt – und damit ein relationales Denken, das zumindest in Zeilen als Zeitstrahlen der Leseverrichtung verläuft. Räumliche Strukturen bleiben dadurch zumindest als Analogie bestehen. Konkrete Poesie hat dieses Verhältnis signifikant zu Bildern werden lassen, die zwischen Wort- und

monplace. The housing estates of the 1920s achieved a similar effect through architectural means by arranging children's playgrounds and kitchen windows in such a way that mothers could keep an eye on their children;[12] by contrast this sort of supervision has now become a largely electronic aspect of spatial perception. As a result, the spatial allocation of receptive situations and paths ends up being rather vague and undefined – due possibly to the fact that this formal aspect has hardly ever been convincingly thought through in design terms. One approach is that every camera is fundamentally also a space in itself, a chamber with an aperture that creates images.[13]

Language space

When children learn to speak, the development of their motor skills often stagnates. And it may well be that the connection between motor skills and verbal competence goes deeper than is illustrated in the overload scenarios used by medical specialists to describe the phenomenon. Indeed, words that are put together well achieve a dynamic that barely falls short of the dynamics of everyday mobility.

And the reason why reading is difficult is that the relationship between letters and words presupposes a reference space on the page – and therefore a relational way of thinking which, at least in lines of writing, runs as timelines of the reading performance. As a result, spatial structures remain, at least as an analogy. Concrete poetry has helped significantly to evolve this relationship into images oscillating between the meaning of the word and that of the image. Perhaps this interplay is more significant in the spatial aspect of reading than the eye movements of the reader would already suggest.

Box space

The connection between a practical container and issues of artistic space has been obvious at least since Marcel Duchamp created his *Boîte-en-valise* (Box in a Valise).[14] The edition's playful conceptual (or educational) approach compels its owners to wonder how to arrange this miniaturized model space-in-a-suitcase in each situation (at an exhibition for example). It transposes the ancient concept of the travel altar into

Bildbedeutung oszillieren. Möglicherweise ist diese Wechselwirkung in der räumlichen Hinsicht des Lesens bedeutungsvoller, als es die Augenbewegungen des Lesenden ohnehin bereits vermuten lassen.

Taschenraum

Spätestens seit Marcel Duchamp seine „Boîte-en-valise"[14] schuf, ist der Zusammenhang zwischen einem praktischen Transportbehältnis und künstlerischen Raumfragen evident. Der spielerisch-konzeptuelle (oder pädagogische) Ansatz der Edition stellt dabei ihre BesitzerInnen vor die Frage, wie denn dieser miniaturisierte Modellraum aus dem Koffer jeweils (beispielsweise in einer Ausstellung) realisiert wird. Er überführt die uralte Idee des Reisealtars in eine Form, die nicht mehr als Heilsverheißung, sondern selbst als Frage zu verstehen ist. Gleichzeitig schafft dieser überallhin mitnehmbare Musterkoffer eine gültige und offene Form für den Umgang mit der eigenen Werkbiografie.

Hans Christian Andersens Märchen „Der fliegende Koffer"[15] überhöht diese Fragestellungen zusätzlich dadurch, dass dieses alte Behältnis seinem Besitzer zu ungeahnter Mobilität (auch in sozialer Hinsicht) verhilft, bevor am Ende ein unachtsam herbeigeführtes Feuer das wundertätige Transportmittel und so auch alle damit verbundenen Möglichkeiten inklusive der Heirat einer Prinzessin vernichtet. In Zeiten von Aktentaschen ungeklärten Inhalts oder gar rein elektronischer Koffergeschäfte gewinnt diese Chiffre eines Transportraums samt seiner Fracht noch eine zusätzliche Aufladung.

Der Raum zwischen zwei Buchdeckeln

Möglicherweise wegen der häufigen Benutzung war der Roman aus der Bibliothek schon ein wenig abgegriffen. Eine Bekannte sagte mir, dass sie solche Bücher nie mit ins Bett nehmen würde: Wer wüsste schon, in welchen Betten sich diese Lesewerke herumgetrieben haben! Für den Urlaub aber leihe sie sich regelmäßig Bücher aus: Reiseliteratur selbstverständlich,[16] aber auch Romane. Sie finde es besonders inspirierend, dass diese Handlungen, die einen an völlig fremde Orte entführten

a form that no longer claims to be a promise of salvation but is a question in itself. At the same time this handy portfolio case that can travel with you anywhere creates a valid and open form for dealing with your own work catalogue.

Hans Christian Andersen's fairy tale The *Flying Trunk*[15] takes these issues further still in that the old trunk helps its owner to achieve unimagined mobility (also in social terms) until, in the end, an accidental fire destroys the wondrous means of transport and with it all the opportunities it created, including marriage to a princess. In an age of briefcases of unknown content or even of purely electronic 'briefcase' transactions the cipher of a transport space complete with content becomes even more loaded.

The space between two book covers

The library book was well thumbed, an indication no doubt of its frequent use. A friend once told me that she would never read a book like this in bed – there was no way of telling what beds that sort of reading material had been in. But she regularly takes library books with her on holiday. Travel literature, of course,[16] but novels too. She says she finds it particularly inspiring when plots that whisk you away to foreign climes (in your imagination at least) find their literary execution in an actual foreign place. What Henri Lefebvre might refer to as a 'double heterotopia'[17] is, for my friend, merely the spatial component of this particular translocation.[18]

In material terms, a book (and that includes this catalogue) is a bound stack of pages. And there is no denying how firmly the binding binds the form. Browsing is usually predetermined and paginated as a linear process – unlike the branching structures of the Internet. And usually the content follows this layout. As a rule, this has an impact on the way in which the reader relates to the book. The scope of possibilities for approaching this medium ranges from 'the order of things'[19] of a strict discourse, a catalogue-like, encyclopaedic exploration, to a more cinematic tracking of a narrative storyline. The term 'browsing', borrowed from the behavioural patterns of animals and *flâneurs*, designates a way of handling books that is common practice particularly on the Internet,

(im Kopfe zumindest), auch wirklich an einem fremden Ort zur literarischen Ausführung kommen. Was mit Henri Lefebvre dann eine doppelte Heterotopie[17] zu nennen wäre, ist für meine Bekannte allerdings nur die räumliche Komponente dieser eigentümlichen Translokation.[18]

Materiell ist ein Buch (auch dieser Katalog) ein gebundener Stapel von Seiten. Diese Bindung bindet die Form recht deutlich: Das Blättern ist in der Regel als linearer Vorgang vorgeprägt und paginiert – anders als die verzweigten Strukturen im Internet. Meistens folgen die Inhalte dieser Anordnung. (Verbunden nennt der Buchbinder übrigens eine falsche Zusammenstellung der einzelnen Druckbögen.) Das hat in aller Regel Auswirkungen auf die Relationen der LeserInnen zum Buch. Zwischen der „Ordnung der Dinge"[19] eines strengen Diskurses, der katalogartigen und lexikalischen Erschließung und dem eher filmischen Verfolgen eines erzählten Handlungsstrangs spannt sich das Spektrum der Möglichkeiten, auf dieses Medium zuzugehen. Mit dem aus der Verhaltenswelt von Tieren und Flaneuren entlehnten Begriff des „Browsing" (des Stöberns) ist eine vor allem im Internet häufige Form des Umgangs auch mit Büchern bezeichnet, die in der Almanachliteratur trotz der ursprünglichen Bindung an einen Jahresablauf schon einen gewissen Vorlauf hat.

Wie auch immer man sich im Raumkontinuum eines Buchs bewegen wird, der Zeitpunkt des Öffnens konfrontiert LeserInnen mit dem Umstand, dass Bücher Buchdeckel und damit eine Fassung haben, die mit Bilderrahmen vergleichbar ist. Es geht einerseits darum, eine klare Grenze zu ziehen zwischen der inneren Realität des Buchs und der umgebenden materiellen Welt. Diese Grenzziehung ist ein besonderes Formproblem – die Geschichte der Bucheinbände[20] und die fortlaufende Entwicklung der Diskussion dieser Formfragen legen ein beredtes Zeugnis davon ab, dass man es hier mit einem hoch signifikanten Element kultureller Formfindung zu tun hat.

Zum anderen markiert das Öffnen eines Buchs nicht nur das Erschließen, sondern auch das Schaffen eines Raums, die definitive Bewusstmachung der dritten Dimension. Spätestens

and is pre-empted, to a certain extent, in almanac literature, despite the fact that they were originally bound to a seasonal framework.

However one chooses to move within the space continuum of a book, the moment of opening the book confronts the reader with the fact that a book has book covers and therefore a framework comparable to that of a picture frame. On the one hand it is about establishing a clear boundary between the book's inner reality and the surrounding material world. This demarcation poses a particular problem of form – the history of bookbinding[20] and the ongoing discussion that surrounds questions of form bear eloquent testimony to the fact that we are dealing here with a highly significant element of cultural form-finding.

On the other hand, the act of opening a book marks not only the opening up of a space but also its creation, the definitive emergence of an awareness of the third dimension. By then, at the latest, the reader is able to realize that every single page of the book also engages specifically with the aspect of two-dimensionality. Manifest in the layout – a much discussed and taught subject – is the permanent struggle to establish a multi-dimensional relationship between graphic elements. And because these forms always convey meaning too, each layout always also constructs a semantic relationship. Typological and typographic disciplines, the approach to surface, colour and materiality of the paper, the ratio of visuals and text, and not least the print technology used – all of this represents a highly complex design 'performance', and in this role play the participants organize themselves in a bid to find a valid form for a comparatively small medium, issued in multiple copies, that also has to be able to adjust its own scope of action to a multitude of confrontations with other spaces and objects.

Sound space

The famous composition entitled *4'33"* by the American experimental composer John Cage originated from a spatial experience Cage had when visiting the anechoic chamber at Harvard University. Inside the chamber everything technically feasible had been done to create silence and eliminate all outside sounds.

dann kann der/die LeserIn bemerken, dass auch jede einzelne Buchseite eine gezielte Auseinandersetzung mit der Zweidimensionalität ist. Was als Layout viel diskutiert und nicht zuletzt auch gelehrt wird, manifestiert das permanente Ringen um das Aufstellen einer mehrdimensionalen Beziehung von grafischen Elementen. Weil diese Formen immer auch eine Bedeutung tragen, konstruiert jedes Layout stets auch eine semantische Beziehung. Typologische und typografische Disziplinen, der Umgang mit der Fläche, Farbe und Materialität des Papiers, das Verhältnis zu den wiedergegebenen Bildwelten und nicht zuletzt die Technik des verwendeten Drucks: alles das markiert einen hoch komplexen Gestaltungsakt. Seine Teilnehmer organisieren sich in diesem Rollenspiel mit dem Ziel, eine gültige Form zu finden für ein vergleichsweise kleines Medium in multiplizierter Ausgabe, das zudem seinen eigenen Spielraum auf sehr unterschiedliche Situationen der Konfrontationen mit anderen Räumen und Dingen einstellen können muss.

Klangraum

Die berühmte Komposition „3'47''" des amerikanischen Generalisten John Cage hatte ihren Ausgangspunkt an einem räumlichen Erlebnis: Cage besuchte die Echokammer der Harvard-Universität. Dort hatte man technisch alles aufgeboten, um Stille zu erzeugen und Fremdklänge auszuschalten. Cage sah sich konfrontiert mit seinem eigenen Herzschlag und den Kreislaufgeräuschen – als einziger Hörwahrnehmung. Das Verstreichen von Zeit in dieser Kammer brachte ihn zu der radikalen Form seines Musikstücks, das derart ungeahnte Folgen in der bildenden und aufführenden Kunst zeitigte. Vor allem verknüpft es mehrere Erfahrungsebenen neu.

Von der bekannten Diskussion über gute oder schlechte Raumakustik abgesehen, ist das Konzerterlebnis in aller Regel auf die Musik gerichtet und selten auf den Raum selbst. Jeder Raum bestimmt in seinen Dimensionen die hier aufgeführte Musik entscheidend mit; Blinde können Wände hören. Den eigenen Körper jedoch versucht man in Konzerten an Geräuschen zu hindern. Nicht zuletzt deshalb

Cage found himself confronted with the sounds of his own heartbeat and blood circulation – as the only auditory perception. The passage of time inside that chamber inspired the radical form of his composition, which was to have such unforeseen repercussions in the visual and performing arts. More than anything, it linked several levels of experience together in a new way.

Leaving aside the familiar discussion about good or poor acoustics, the concert experience usually focuses on the music and rarely on the concert space itself. Yet, through its dimensions, every space has a decisive influence on the music performed within it; a blind person is able to 'hear' walls. At a classical concert we try to prevent our bodies from making any noise, one of the reasons why free cough sweets are available in a bid to heighten our listening experience.

Music is 'composed', and it is only as the individual notes are assembled that a space-time continuum is created. At the same time, the music score uses the written conventions of music notation (and John Cage's piece is no exception). The notes thus symbolized in writing constitute a programme that is to be followed according to rules, while its interpretation affords the performing musicians considerable scope. Ultimately musical spaces arise as an existence that is rooted in concept and performance. Hardly surprising, then, that John Cage also showed a keen interest in printmaking and other programmatic media, right through to exhibition design.

Room 2.0

It is far from certain that the so-called 'pictorial turn'[21], so brilliantly espoused by scholars of the humanities, was in fact followed by a 'spatial turn'[22]. The trends summarized under these terms seem too diffuse to warrant the claim that space has indeed displaced the image as the primary reference system for ideas, or the word as the most important option. What has in fact decisively shaped and altered spatial perception are all the changes associated with the innovations in electronic media and their repercussions.[23] The fact that it has been referred to as 'cyberspace' or, occasionally, 'data room' is

gibt es gratis Hustenbonbons, um dem Klangkörper besser zuhören zu können.
Musik wird „komponiert": Erst aus dem Zusammensetzen der einzelnen Töne entsteht ein Raum-Zeit-Kontinuum. Gleichzeitig nutzt die musikalische Partitur die schriftlichen Konventionen musikalischer Notierungen (und auch das besagte Cage-Stück macht da keine Ausnahme). Die solcherart als Schrift symbolisierten Töne machen ein Programm auf, das nach Regeln zu befolgen ist – und dessen Interpretation gleichzeitig einen erheblichen Freiraum für die aufführenden Musiker bietet. Letztlich entstehen musikalische Räume somit als Existenz, die Konzept und Ausführung als Wurzeln hat. Dass Cage sich stark für Druckgrafik und andere programmatische Medien bis hin zur Ausstellungsgestaltung interessiert hat, kann daher kaum verwundern.

Raum 2.0

Es ist keineswegs ausgemacht, dass nach dem in der geisteswissenschaftlichen Welt glänzend propagierten „pictural turn"[21] der in der Folge ausgerufene „spatial turn"[22] wirklich stattgefunden hat. Zu diffus erscheinen die unter diesen Aspekten zusammengefassten Tendenzen, um behaupten zu können, der Raum habe als primäres Referenzsystem der Vorstellungen das Bild oder das Wort als wichtigste Möglichkeit verdrängt. Was jedoch konkret das räumliche Empfinden entscheidend geprägt und verändert hat, sind alle jene Veränderungen, die mit den Innovationen durch elektronische Medien und dessen Folgeerscheinungen einhergehen.[23] Dass das einmal „Cyberspace" oder Datenraum geheißen hat, ist nur ein Indiz dafür, wie prägend räumliche Begriffe und Vorstellungen für das Bild von der Konstruktion dieser Techniken gewesen sind.
Einschneidend sind auch die Wechselwirkungen zum realen Raum: Videokonferenzen konkurrieren mit Dienstreisen; Informationssysteme haben in ihren Bildwelten, vor allem aber in der Art des Zugriffs eine kleine Revolution für die Orientierung im Raum bewirkt. Der Boom der Navigationssysteme hat nicht nur die Märkte der Landkarten dezimiert, sondern auch den Blick auf die Beziehungen von Räumen. Deutlich funktional ausgerichtet sind

just one indication of how crucial spatial terms and notions of space have been in our visualization of these technologies.
And its interactions with real space are just as incisive: video conferencing competes with business travel; in their imagery, but, above all, in the nature of their access, information systems have brought about a minor revolution in spatial orientation. The boom in navigation systems has had a devastating effect not just on the market for maps, but also on the way in which we look at the relationships between spaces. Image and text have a clearly functional orientation; the once customary cocktail of excessive information has given way to a leaner diet. At the same time we have a multitude of these nutritional deficiencies in information – and the vision that the deliberate and targeted combination of such diets will contain all that is necessary, while dispensing with the superfluous information chaff that a map or encyclopaedia once represented.[24]
But of far greater influence on the interactions between people and their relationship with objects is the fact that cyberspace is full of information traces. An enormous market has opened up that exploits movement and consumption profiles and triggers ever more accurately targeted (and thus more efficient, from a marketer's point of view) communications. While in the past this may have been the (possibly rare) preserve of governmental snooping, the information now mined in this way represents a vastly accumulated capital for corporations whose market value has long outstripped that of the material goods economy.[25] Echoes of real spaces or traditional media resonate in words like auction, marketplace, MySpace, Facebook or chat room, not least because this way they presuppose little in the way of change. However, these platforms are clearly quite different from a space – which we usually imagine as a situation that may have been actively shaped or designed, but is in itself passive. As a large and extremely active device, this 'data room' represents, for its users, a convenient backdrop for relationships between people and between people and objects. But for its operators it is a convenient means of apprehending those very relations and marketing the information

Bild und Text; der früher übliche Cocktail an überbordenden Informationen ist einer strengen Diät gewichen. Gleichzeitig existiert eine Vielzahl dieser informativen Mangelernährungen – und die Vision, dass die überlegte und gezielte Kombination solcher Diäten alles Nötige enthalten wird und zudem auf informative Ballaststoffe verzichtet, wie sie eine Landkarte oder ein Lexikon zu materialisieren pflegten.[24]
Sehr viel wesentlicher beeinflusst dieses Verhältnis zwischen Menschen untereinander und dem zu Dingen jedoch, dass der Cyberspace voller informativer Spuren ist. Ein immenser Markt hat sich ausgebreitet, der Bewegungs- und Konsumprofile verwertet und immer genauer gezielte (und damit im Marktsinne effizientere) Kommunikationsmaßnahmen in Gang setzt. War diese Sphäre vormals eher eine (möglicherweise seltene) Domäne hoheitlicher Bespitzelung, so bilden die entsprechend eingeholten Informationen heute ein riesenhaft angewachsenes Kapital für Konzerne, deren Marktwert längst den der materiellen Warenwirtschaft hinter sich gelassen hat.[25] Die Anklänge an Räumlichkeiten oder klassische Medien klingen in Worten wie Auktionshaus, Börse, MySpace, Facebook oder Chatroom nicht zuletzt deshalb an, weil so zunächst nur wenig Veränderungen zu vermuten sein werden. Diese praktischen Infrastrukturen sind aber etwas deutlich anderes als ein Raum – den man sich in aller Regel als zwar gestaltete, aber passive Gegebenheit vorstellt. Als großes und höchst aktives Gerät bildet dieser „Datenraum" für seine Konsumenten die komfortable Folie von Relationen unter Menschen sowie zwischen Menschen und Dingen. Für seine BetreiberInnen jedoch dient er zur komfortablen Wahrnehmung eben dieser Relationen und der Vermarktung der so gewonnenen Information. Wenn man im Bild des Raums bleiben möchte, wird man ihn sich als einen Überwachungsraum mit nur einseitig durchlässigen Spiegeln vorstellen müssen.

Wo bist du gerade?

Wesentlich heftiger als die Sicht auf das Erreichen der Destinationen hat sich das Gefüge der sozialen Relationen gewandelt. Erreichbar

mined as a result. To stay with the image of a room, we have to imagine it as a monitored space equipped with one-way mirrors.

Where are you right now?

The structure of social relations has changed even more radically than our view of the way in which destinations are reached. Today most people can be reached anywhere – at least by phone. Whereas there was once a public service ('Die Öffentliche') to get people to come to the phone, today the technical aspect of private communications is an economic sector that is subject to market forces. In this respect at least, public infrastructure is no longer involved in establishing relationships between people. Whether this means that these relationships are now brought about by the people themselves (the argument being that, since the deregulation of the telephone market, call charges are now generally far more affordable) is a question that can only be answered accurately once it becomes clear what influence the market with its own infrastructure exerts. The meticulous scaling of call charges based on the level of loyalty to a particular provider is not just a classic aspect of market reality, but also a precondition for communication – and therefore also of relevance to the social interactions between people. Anyone who signs up with the wrong provider or fails to subscribe to particular social networks has to live with the consequences. What is more, the greater technological possibilities of reachability do not by any means imply that the social or even psychological prerequisites for reachability have increased to a similar degree. The use of mobile phones on trains is particularly well suited for highlighting a further dilemma of this interaction: while a caller's situation is clearly evident for all those within listening range, the caller himself must first identify his location with regard to the party at the other end. 'Midway upon the journey of our life I found myself within a forest dark, for the straight-forward pathway had been lost' wrote Dante in the first lines of his *Divine Comedy* – and was able to rely on the life experience and possibly literary powers of imagination of his readers for this situation. It is questionable whether the same still holds true today for

ist heute die große Mehrzahl aller Menschen direkt – zumindest telefonisch. Gab es früher noch den öffentlichen postalischen Service, sich Menschen ans Telefon holen zu lassen, so ist heute die technische Seite der privaten Kommunikation ein Wirtschaftszweig nach den Gesetzen des Marktes. Relationen zwischen Menschen kommen – zumindest in dieser Hinsicht – nicht mehr durch öffentliche Infrastrukturen zustande. Ob diese Relationen dadurch eher von den Menschen ausgehen (man argumentiert, dass die Verbindungskosten nach der Liberalisierung des Telefonmarktes heute generell deutlich preiswerter sind), kann man möglicherweise erst dann genau sagen, wenn geklärt ist, welche Einflüsse der Markt mit seiner eigenen Infrastruktur nimmt. Die sorgfältige Staffelung der Gebühren nach dem Grad von Bindung an ein bestimmtes Unternehmen ist dabei nicht nur ein klassischer Umstand des Marktgeschehens, sondern auch eine Kommunikationsbedingung – und damit auch relevant für die sozialen Beziehungen von Menschen untereinander: Wer beim falschen Anbieter telefoniert oder bestimmte soziale Netzwerke nicht abonniert, hat mit den Folgen zu leben. Die verstärkten technischen Möglichkeiten der Erreichbarkeit heißen zudem keineswegs, dass die sozialen oder gar psychologischen Voraussetzungen für die Erreichbarkeit in einem ähnlichen Maß zugenommen haben.

people calling each other on the phone. After all, the mobile phone was specifically invented as a speaking device for spatial situations that are completely unknown, constantly changing and often dynamic. Previously, telephone booths defined their own distinctive spatial typology, and in private homes, telephone consoles or perhaps even alcoves provided at least a reference to a different space, which could be seen as analogue to one's own spatial situation while on the phone. Is the terminology of today's mobile communications overstretched when it comes to clarifying the situations that have emerged as these basic premises have disappeared? Or does this lack of clarity open up new room for manoeuvre – and not just for phone sex?[26]

For here we do not have an enduring city[27]
Given all of the above, an artotheque is nothing if not an anachronistic place. It uses public funds to acquire works of art which as a collection are capable of providing an overview of artistic debates about form and content – and this comprises all areas of life addressed by the visual arts. These discussions take place along the mainstream and the main themes of art, as individual contributions by the artists, and, above all, as key aspect of a cultural identity which is defined as a national objective in many constitutions, and has been identified by Jürgen Habermas as the 'public reasoning' in a

Mobiltelefon | cellphone, 2011

Die Nutzung mobiler Telefone in Zügen ist besonders gut geeignet, ein weiteres Dilemma dieser Wechselwirkung klar zu machen. Während für alle umgebenden ZuhörerInnen die Situation des/der Telefonierenden klar nachvollziehbar ist, muss er/sie sich gegenüber seinem/ihrem telefonischen Gegenüber zunächst einmal verorten. „Auf halbem Weg des Menschenlebens fand ich mich in einen finstern Wald verschlagen, Weil ich vom rechten Weg mich abgewandt": so leitete Dante seine „Divina Comedia" ein – und konnte auf das lebensweltliche und möglicherweise literarische Vorstellungsvermögen seiner LeserInnen für diese Situation zählen. Es erscheint fraglich, ob das für TelefonpartnerInnen heute noch gelten könnte. Schließlich wurde das Mobilfon bewusst als Sprachmaschine für eine völlig ungeklärte, permanent veränderliche und eben oft dynamische räumliche Situation erfunden. Vorher hatten Telefonhäuser eine eigene Raumtypologie ausgeprägt und auch die Telefonkonsolen oder gar -nischen in Privathäusern zumindest auf einen anderen Raum verwiesen, den man sich analog zur eigenen räumlichen Telefoniersituation vorstellen konnte. Sind Worte heutiger mobiler Kommunikation überfordert, die Situationen zu klären, die mit dem Wegfall dieser basalen Räumlichkeit aufgekommen sind? Oder öffnet diese Unklarheit nicht nur für den Telefonsex neue Spielräume?[26]

Wir haben hier keine bleibende Stadt[27]

Artotheken sind angesichts der vorhergehenden Betrachtungen anachronistisch anmutende Orte. Mit öffentlichen Geldern erwerben sie Kunstwerke, die als Sammlung einen Überblick erzeugen können über künstlerische Diskussionen von Form und Inhalt – und das umfasst alle Lebensbereiche, mit denen sich bildende Kunst beschäftigt. Diese Auseinandersetzungen vollziehen sich entlang der Grundströmungen und -themen von Kunst, als individuelle Beiträge der KünstlerInnen und vor allem als ein wesentlicher Faktor einer kulturellen Identität, welche in zahlreichen Verfassungen als Staatsziel definiert ist, von Jürgen Habermas identifiziert als das „öffentliche Raisonnement" in bürgerlichen Gesell-

bourgeois society[28] – on which Richard Sennett would later diagnose symptoms of decline.[29] In public collections this ongoing discussion takes on a valid and still rather lively form.

While a museum exhibition stages artistic communications between the works of art as a sort of panel discussion for the general public, an artotheque loans out its works of art[30], thereby also making them available to contexts that have nothing to do with art. In doing so they rely on the autonomy of the works, their well-considered, visually and contextually robust and also often controversial form. As a factor thus rendered a public object (arguably a *res publica* in Latin) these peripatetic works of art enter for a while into a dialogue with their new surroundings. An interaction thus takes place between textures, forms, colours and dimensional determinations, between functional orientation of the locations and the works' content, between past history and the prospects of both artwork and visited venue.

As with any rendezvous, the expectations, atmosphere and eroticism of the situation play a crucial role. But unlike panel discussions and more general appointments or 'dates' – a term that perfectly underscores the point-in-time character of the encounter – the situation here stretches across a longer period of time. This opens up scope for developments, for further observation, in-depth exploration and dialogue – at least for the duration of this temporary partnership, but often also with after-effects.

An exhibition such as *Space Affairs* not only establishes a new, somewhat formal and discursive connection between works in the collection, which the artist, author and curator Marc Mer has selected with careful consideration and under specific aspects, it also foreshadows how many past and future affairs have already come about for these works – or may yet ensue.

schaften.[28] An eben jenem diagnostiziert Richard Sennett später Verfallserscheinungen.[29] In öffentlichen Sammlungen gewinnt diese andauernde Diskussion eine gültige und nach wie vor ziemlich lebendige Form. Während Museen in ihren Ausstellungen die künstlerische Kommunikation zwischen den Kunstwerken quasi als Podiumsdiskussion für ein Publikum aufführen, verleihen Artotheken ihre Kunstwerke[30] und stellen sie damit auch durchaus für kunstfremde Zusammenhänge zur Verfügung. Dabei vertrauen sie auf die Eigenständigkeit der Werke, ihre wohl überlegte, optisch und inhaltlich robuste und nicht selten streitbare Form. Als ein somit zum öffentlichen Ding (in Latein hieße das „res publica") gewordener Faktor treten diese ambulanten Kunstwerke auf gewisse Zeit mit ihren je neuen Umgebungen in Zwiesprache. So entsteht eine Wechselwirkung zwischen den Texturen, den Formen, Farben und dimensionalen Bestimmungen, zwischen funktionaler Ausrichtung der Orte und der Inhaltlichkeit der Arbeiten, zwischen der zurückliegenden Geschichte und der Perspektive sowohl von Kunstwerk als auch von besuchtem Ort.
Wie bei jedem Rendezvous spielen Erwartungen, Atmosphären und die Erotik der Situation eine wesentliche Rolle. Anders als bei Podiumsdiskussionen oder üblichen Verabredungen (das angloamerikanische „Date" betont den punktuellen Charakter noch deutlicher) erstreckt sich die Situation hier aber über eine längere Zeitdauer. Ein Freiraum entsteht für Entwicklungen, weitere Betrachtungen, Vertiefungen und Zwiesprachen – zumindest während dieses Zeitabschnitts der temporären Partnerschaft, oftmals aber auch mit Nachwirkungen.
Eine Ausstellung wie „Space Affairs" stiftet nicht nur einen neuen, gewissermaßen formal-diskursiven Zusammenhang zwischen Werken der Sammlung, die der Künstler, Autor und Kurator Marc Mer mit Bedacht und unter bestimmten Aspekten ausgesucht hat. Sie lässt auch ahnen, wie viele vergangene und künftige Affären sich für diese Arbeiten ergeben haben oder noch entwickeln können.

1 Als ein herausstehendes Beispiel Martin Heidegger, Die Kunst und der Raum, St. Gallen 1969; zusammenfassend Jörg Dünne, Stephan Günzel (Hg.), Raumtheorie. Grundlagentexte aus Philosophie und Kulturwissenschaften, Frankfurt am Main 2006.

2 Wilhelm Weischedel, Die philosophische Hintertreppe, München 1966.

3 Weiteres hierzu: „spaceperformer | thinkthingwiththing", Marc Mers Beitrag zur Architekturbiennale Venedig 2008; http://www.marcmer.eu/html/vortraege.html, abgerufen am 30.3.2012.

4 Marc Mer, Zur Architektur des Raumes: eine philosophische Szenerie. Momente und Motive Raumbildender Kunst, Münster 2004.

5 Rainer Maria Rilke, Auguste Rodin, Berlin 1907, S. 42.

6 Johann Wolfgang Goethe, Werke in zwölf Bänden, Berlin-Weimar 1981, Bd. 4, S. 173.

7 Umfassend begreift diesen Terminus Richard Sennett, Handwerk, Berlin 1997.

8 Als eines der ganz wenigen Fachwörter der Architektur stammt „Wand" nicht aus lateinischen oder griechischen, sondern aus germanischen Wurzeln.

9 Wenn der französische Autobauer Citroën („Nichts bewegt Sie so wie ein C.") aus diesem Gefüge ausbricht, hat Roland Barthes bereits 1956 im Bezug auf den seinerzeit hoch innovativen Citroën DS („Déesse") die kulturelle Grundverankerung vorgedacht. Roland Barthes, Der neue Citroën, in: ders: Mythen des Alltags, Frankfurt am Main 1964, S. 76.

10 Leonardo da Vinci, Traktat von der Malerei, hg. von Mari Herzfeld, Jena 1909, S. 53. Siehe auch Johannes Stahl, Graffiti zwischen Alltag und Ästhetik. Zu Problemen der Wandzeichnung, München 1990 (zugleich Dissertation Universität Bonn 1988), insbesondere die Partien zu Hogarth und Gavarni.

11 So hat beispielsweise eine Kunst-am-Bau-Arbeit der niederländischen Künstlerin H. W. Werther 2008 unter dem Titel OPEN alle Zellen der Justizvollzugsanstalt Vught mit einem Taschenbuch ausgestattet, das auf mehreren hundert Seiten Fotos wiedergibt, die von den Insassen und der Künstlerin selbst stammen.

12 Vergleichbare Raumtypologien sind die verglaste Meisterebene oben in Fabrikationshallen oder die Wirtskoje neben dem Eingang in älteren Gaststätten.

13 Wirkungsvoll inszeniert das Marc Mers Installation „bright period" (1991), welche der Künstler in Konzeption und Dokumentation mit der Anmerkung „der aufgeklärte apparat / (black box) bright box" versieht. In Marc Mer, ferne der Welt. der multiplizierte blick, Wien 1993, o. S.

14 Ecke Bonk, Marcel Duchamp. Die Grosse Schachtel: de ou par Marcel Duchamp ou Rrose Sélavy. Inventar einer Edition, München 1989.

15 Hans Christian Andersen, Der fliegende Koffer, in: Maerchen von Hans Christian Andersen, Berlin 1938, S. 180–187. Wiedergegeben in http://gutenberg.spiegel.de/buch/1227/64.

16 Peter H. Untucht (Hg.), Man sieht nur, was man weiß ... Vierzig Jahre DUMONT Buchverlag. Rückschau und Perspektiven, Köln 1999.

17 Henri Lefebvre, The Production of Space, übersetzt von Donald Nicholson-Smith, Oxford, UK-Cambridge, MA 1996; Originaltitel: La Production de l'espace, Paris 1974.

18 Marc Mer (Hg.), Translokation. Der ver-rückte Ort, Kunst zwischen Architektur, Wien 1994.

19 Michel Foucault, Die Ordnung der Dinge. Eine Archäologie der Humanwissenschaften [Les mots et les choses], übersetzt von Ulrich Köppen, Frankfurt am Main 1974.

20 Otto Mazal, Einbandkunde. Die Geschichte des Bucheinbandes (= Elemente des Buch- und Bibliothekswesens 16), Wiesbaden 1997.

21 W. J. Thomas Mitchell, What do Pictures Want? The Lives and Loves of Images, Chicago-London 2005. Gottfried Boehm (Hg.), Was ist ein Bild?, München 1994.

22 Jörg Döring, Tristan Thielmann u. a.. (Hg.), Spatial Turn. Das Raumparadigma in den Kultur- und Sozialwissenschaften, Bielefeld 2008.

23 Georg Mein, Markus Rieger-Ladich (Hg.), Soziale Räume und kulturelle Praktiken. Über den strategischen Gebrauch von Medien, Bielefeld 2004.

24 Bezeichnend ist der Umstand, dass 2012 ein weltweites und sehr traditionsreiches Unterfangen wie

die Encyclopaedia Britannica sein Erscheinen auf Papier einstellt.

25 Gordon Graham, The Internet. A Philosophical Inquiry, London-New York 1999, stellt in seiner lesenswerten philosophischen Studie genau diese kommerzielle Ausrichtung nur wenig zur Diskussion.

26 Zum Verhältnis von Raum und Sex liefert Marc Mers Buch Box Sex. Installation und Instanz. Stellungen im Stall, Wien 2000, reichhaltiges textliches und bildliches Material.

27 Der Brief an die Hebräer 13:14, in: Die Bibel oder die ganze heilige Schrift des alten und neuen Testaments nach der Übersetzung Martin Luthers, Stuttgart 1968, S. 307.

28 Jürgen Habermas, Strukturwandel der Öffentlichkeit, Darmstadt 1962, 2. Aufl. Neuwied 1965, S. 38.

29 Richard Sennett, Verfall und Ende des öffentlichen Lebens. Die Tyrannei der Intimität, übersetzt von Reinhard Kaiser, Frankfurt am Main 1983; Originaltitel: The Fall of Public Man, New York 1977.

30 Johannes Stahl: Institutionelle Suchmasken nach Publikumserwartungen / Artotheken, in: ders.: Der interaktive Blick. Über Kunst, Wirkungsräume und Mitspieler, Münster 2011, S. 246ff.

---

1 As an outstanding example Martin Heidegger, Die Kunst und der Raum (St. Gallen, 1969); and, summarizing, Jörg Dünne, Stephan Günzel (ed.), Raumtheorie. Grundlagentexte aus Philosophie und Kulturwissenschaften (Frankfurt am Main, 2006).

2 Wilhelm Weischedel, Die philosophische Hintertreppe (Munich, 1966).

3 For further details see: 'spaceperformer | thinkthingwiththing', Marc Mer's contribution to the 2008 Venice Architecture Biennale, <http://www.marcmer.eu/html/vortraege.html>, accessed 30 March 2012.

4 Marc Mer, Zur Architektur des Raumes: eine philosophische Szenerie. Momente und Motive Raumbildender Kunst (Münster, 2004).

5 Rainer Maria Rilke, Auguste Rodin (Berlin, 1907), 42.

6 Goethe, J.W. von, Faust, Part 1, translated by Anna Swanwick, The Harvard Classics. New York: P.F. Collier & Son, 1909-14.

7 This term is explored comprehensively by Richard Sennett, Handwerk (Berlin, 1997).

8 The German word 'Wand' is one of the very few technical architectural terms not to be derived from Latin or Greek, but from Germanic roots.

9 When the French car manufacturer Citroën ('Nothing moves you like a C.') broke out of that structure, Roland Barthes had already pondered, back in 1956, the fundamental cultural foundation in relation to the then highly innovative Citroën DS (Déesse). Roland Barthes, 'Der neue Citroën', Mythen des Alltags (Frankfurt am Main, 1964), 76.

10 Leonardo da Vinci, Traktat von der Malerei, in Mari Herzfeld (ed.), (Jena, 1909), 53. See also Johannes Stahl, Graffiti zwischen Alltag und Ästhetik. Zu Problemen der Wandzeichnung (Munich, 1990) (at the same time University of Bonn dissertation, 1988), particularly the sections on Hogarth and Gavarni.

11 For example: in 2008 an art-in-architecture project by Dutch artist H. W. Werther entitled OPEN provided all the cells of the Vught prison with a paperback with several hundred pages of photos taken by the inmates and the artist herself.

12 Comparable room typologies include the raised and fully glazed foreman's office above the factory floor or the proprietor's booth next to the entrance of older restaurant establishments.

13 This is demonstrated most effectively by Marc Mer's installation 'bright period' (1991), annotated by the artist in his conception and documentation as 'the enlightened apparatus / (black box) bright box'. In Marc Mer, ferne der welt. der multiplizierte blick (Vienna, 1993), no page reference.

14 Ecke Bonk, Marcel Duchamp. Die Grosse Schachtel: de ou par Marcel Duchamp ou Rrose Sélavy. Inventar einer Edition (Munich, 1989).

15 Hans Christian Andersen, 'Der fliegende Koffer', Maerchen von Hans Christian Andersen (Berlin, 1938) 180–187. Reproduced in <http://gutenberg.spiegel.de/buch/1227/64>.

16 Peter H. Untucht (ed.), Man sieht nur, was man weiß ... Vierzig Jahre DUMONT Buchverlag. Rückschau und Perspektiven (Cologne, 1999).

17 Henri Lefebvre, The Production of Space, trans. Donald Nicholson-Smith (Oxford, UK-Cambridge, MA, 1996); original title: La Production de l'espace (Paris, 1974).

18 Marc Mer (ed.), Translokation. Der ver-rückte Ort (Vienna 1994).

19 Michel Foucault, Die Ordnung der Dinge. Eine Archäologie der Humanwissenschaften [The Order of Things / Les mots et les choses], translated by Ulrich Köppen (Frankfurt am Main, 1974).

20 Otto Mazal, Einbandkunde. Die Geschichte des Bucheinbandes (= Elemente des Buch- und Bibliothekswesens 16) (Wiesbaden, 1997).

21 W. J. Thomas Mitchell, What do Pictures Want? The Lives and Loves of Images (Chicago-London, 2005). Gottfried Boehm (ed.), Was ist ein Bild? (Munich, 1994).

22 Jörg Döring, Tristan Thielmann et al (ed.), Spatial Turn. Das Raumparadigma in den Kultur- und Sozialwissenschaften (Bielefeld, 2008).

23 Georg Mein, Markus Rieger-Ladich (ed.), Soziale Räume und kulturelle Praktiken. Über den strategischen Gebrauch von Medien (Bielefeld, 2004).

24 It is most telling that in 2012 a global and long-established venture such as the Encyclopaedia Britannica will no longer appear in paper form.

25 Gordon Graham, The Internet. A Philosophical Inquiry (London-New York, 1999), barely discusses this commercial aspect in his otherwise enlightening philosophical study.

26 On the relationship between space and sex Marc Mer's book Box Sex. Installation und Instanz. Stellungen im Stall (Vienna, 2000), provides a wealth of textual and image material.

27 Hebrews 13:14; Holy Bible, New International Version.

28 Jürgen Habermas, Strukturwandel der Öffentlichkeit (Darmstadt, 1962), 2nd edition. (Neuwied, 1965), 38.

29 Richard Sennett, The Fall of Public Man (New York, 1977).

30 Johannes Stahl 'Institutionelle Suchmasken nach Publikumserwartungen / Artotheken', Der interaktive Blick. Über Kunst, Wirkungsräume und Mitspieler (Münster, 2011), 246ff.

Werke | Works

Thomas BAUMANN

*1967 in Altenmarkt /AUT, lebt in Wien | lives in Vienna

Shape'n Shade for a Black and White Rope, 2006
Gummiseil, Rollen, Motor | rubber rope, cable roll, motor
276×146×15 cm
Inv. Nr.: 126/2006

Birgit Rinagl

Einen in sich geschlossenen Kreislauf präsentiert Thomas Baumann in seiner Installation „Shape'n Shade for a Black and White Rope", um die Wahrnehmung von Gegensatzpaaren wie Schwarz und Weiß, Wiederholung und Variation sowie Stillstand und Fortschritt innerhalb allgemein gültiger Wertesysteme zur Disposition zu stellen. Bestehend aus einem miteinander verknüpften schwarzen und weißen Seil, das mittels einer elektronischen Steuerung seine Form und Farbgebung ändert, rückt nicht die streng geometrisch begrenzte Fläche – wie sie etwa in der konstruktivistischen Malerei zum Ausdruck kommt –, sondern die Begrenzungslinie als Variable in den Mittelpunkt der Betrachtung.
Die scheinbar bis ins Unendliche rotierende Linie definiert die geometrische Komposition des Objekts permanent neu. Der Begriff „Raum", im Sinne einer statisch ausgerichteten, architektonischen Konstruktion, löst sich zugunsten seines flüchtigen Ist-Zustandes auf und stellt die Idee der progressiven und linearen Weiterentwicklung im Sinne des Fortschritts ebenso infrage wie das Festlegen von Grenzen und allgemein gültige Denkweisen.

In his installation *Shape'n Shade for a Black and White Rope,* Thomas Baumann presents us with a closed circuit to challenge our perception of dualities such as black and white, repetition and variation, stasis and progress, within generally accepted value systems. Composed of a black and white rope that is joined together and changes shape and colour by means of an electronic control unit, the boundary line as a variable becomes the focus of attention, rather than the strict, geometric plane – as expressed in Constructivist painting.

The seemingly endlessly rotating line is constantly redefining the object's geometric composition. The concept of 'space', in the sense of a static, architectonic construction, is dissolved to be replaced by a fleeting momentary state. This questions both the concept of a progressive and linear development, in the sense of 'progress', and that of defined boundaries and generally accepted ways of thinking.

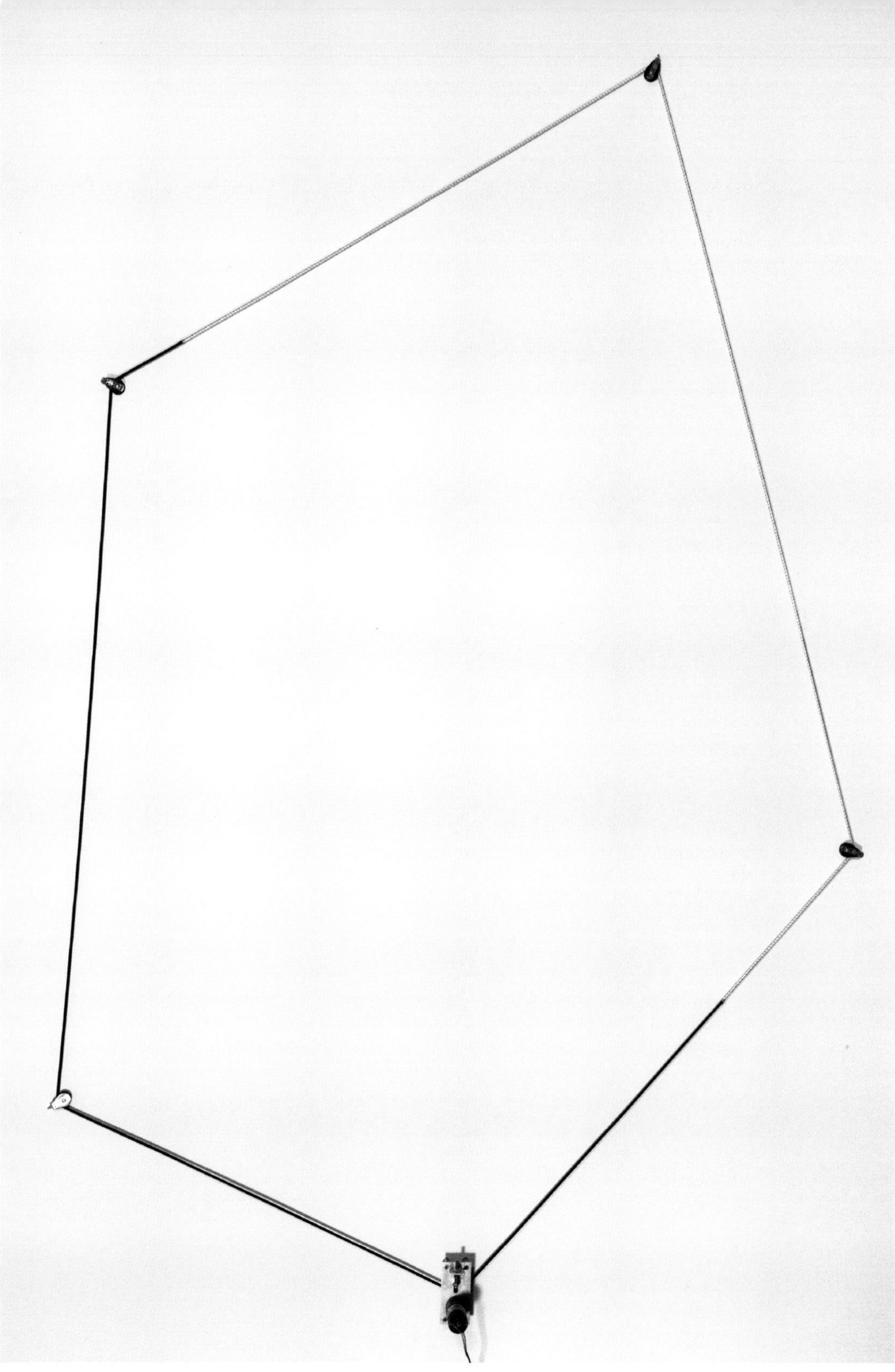

Karl-Heinz STRÖHLE

*1957 in Bregenz/AUT, lebt in Wien | lives in Vienna

Doppler | Doppler (Two-Litre Bottle), 2004
Federstahl und Video | spring steel and video
220 × 90 × 90 cm; 6:25 min
Inv. Nr.: 114/2004 und | and 10852

Michaela Nagl

Feine, vielfach kreisförmig übereinander gelagerte Linien sowie Blasen- oder Schaumstrukturen sind wiederkehrende Motive im Werk von Karl-Heinz Ströhle. Eine eigene Werkgruppe ab 2003 bilden die in verschiedenen Formen ausgeführten Federstahlskulpturen. Sie besitzen die Eigenschaft, sich durch Berührung in eine fortwährende Bewegung versetzen zu lassen und dabei immer wieder in die Ursprungsform zurückzukehren. Diese luft- und raumdurchlässigen Skulpturen aus Metallbändern, meist in Form von Vasen, Flaschen oder Kuppeln, weisen eine große Stabilität in ihrer Schwingung auf.
Aufgrund der hohen Elastizität und Festigkeit des Materials lassen sich daraus formbare, bewegliche und gleichzeitig kompakte, frei stehende Skulpturen herstellen, die leicht zu vibrieren beginnen. Diese rhythmische Raumschwingung war wiederum ein Auslöser zur Verwendung der filigranen Raumplastiken in Tanzperformances. Aber auch in Gruppen aufgestellt zeigen die annähernd menschengroßen Objekte, sobald sie in Bewegung gebracht werden, ein spektakuläres Eigenleben. Im Video „Objekte 2004" tritt der Künstler selbst in Aktion und füllt den Raum einer röhrenförmigen Bandskulptur mit seiner Person. Im Wechsel des Auslösens von Schwingung durch Berühren der Metallbänder und der nachfolgend schwingenden Rückführung in die Ausgangsform bewegt sich sowohl die Skulptur im Raum als auch der Künstler im Raum der Skulptur. Ein sirrender oder knallender Schwingungsklang, den die Metallbänder hervorrufen, unterstreicht diesen Ablauf.

Delicate, often circular, overlapping lines, and bubble or foam structures are recurring motifs in Karl-Heinz Ströhle's work. A separate group of works, started by the artist in 2003, comprises spring steel sculptures in various forms. When touched they are stirred into lasting motion, always reverting back to their original form. These metal-band sculptures, permeable by air and space, are usually in the form of vases, bottles or domes and vibrate with great stability.
The material's pliancy and firmness permits the creation of sculptures that are malleable and moveable as well as compact and free-standing, and can be easily set in vibrating motion. The rhythmic oscillation of these delicate 'space sculptures' has also prompted their use in dance performances. Yet even when exhibited as a group, the almost human-sized objects take on a spectacular life of their own as soon as they are set in motion. In the video *Objects 2004,* the artist himself enters the stage, filling the space within a tubular band sculpture with his own body. In the interplay of vibrations set off through contact with the metal bands and the subsequent vibrating return to their original form, the sculpture moves in space while the artist moves within the space of the sculpture. This sequence is emphasized by the whirring, clanging vibration noises emanating from the metal bands.

Sepp AUER

*1939 in Braunau am Inn/AUT, lebt in Wien | lives in Vienna

Hommage a Robert Gober, 1992
Dispersion und Fliesenkleber auf Buch | dispersion paint and ceramic tile adhesive on book
4×28,5×20,6 cm
Inv. Nr.: 143/1993

Alexandra Matzner

Der amerikanische Künstler Robert Gober (*1954) ist für die starke emotionale Qualität seiner Objekte und Installationen bekannt geworden. Themen wie Verwundbarkeit und Geschlechtlichkeit, aber auch entblößte Körperlichkeit und Gegenstände, die Intimität und Privatheit in besonders ambivalenter Weise zum Ausdruck bringen, interessierten Gober aus einer indirekten autobiografischen Auseinandersetzung mit der amerikanischen Nachkriegskultur heraus. Der oberösterreichische Bildhauer Sepp Auer widmete sich von 1991 bis 1993 in seinen „Interpretationen" international renommierten Künstlern. In Stahl und Beton rezipierte er Werke von Barnett Newman, Donald Judd, Cy Twombly, Arnulf Rainer, Fernand Léger, Blinky Palermo, Günther Förg und auch Robert Gober. Das aufgeschlagene Buch gibt den Blick auf einen weiblichen Unterkörper frei. Wie auch für Gobers Werk immer wieder festgestellt wurde, ist diese Kombination von weiblichem Geschlecht und Buch im wahrsten Sinne des Wortes „unheimlich". Nach Freud bedeutet das, dass die Erfahrung der geschlechtlichen Triebe einerseits vertraut ist, aber andererseits durch Verdrängung in die tiefen Winkel des Unbewussten weggeschlossen wurde. Auer gibt dem Unheimlichen Raum, wenn auch eingeschlossen in ein Buch.

The American artist Robert Gober (born 1954) has become famous for the bold emotional quality of his objects and installations. He is interested in subjects such as vulnerability and sexuality, but also the exposed body, and objects that express intimacy and privacy in a very ambivalent way. This arises from his indirectly autobiographical exploration of American post-war culture. In his *Interpretations*, 1991–1993, the Upper-Austrian sculptor Sepp Auer focuses on internationally renowned artists. Working in steel and concrete, he responds to works by Barnett Newman, Donald Judd, Cy Twombly, Arnulf Rainer, Fernand Léger, Blinky Palermo, Günther Förg, and also Robert Gober. An open book reveals the lower part of a woman's body. This combination of female genitalia and a book literally personifies 'The Uncanny', a descriptor often used for Gober's work. Seen in a Freudian light, this signifies that, although sex drive is a familiar part of life, it has been suppressed in the deepest recesses of our subconscious. Auer makes room for 'The Uncanny', while at the same time keeping it tucked away between the covers of a book.

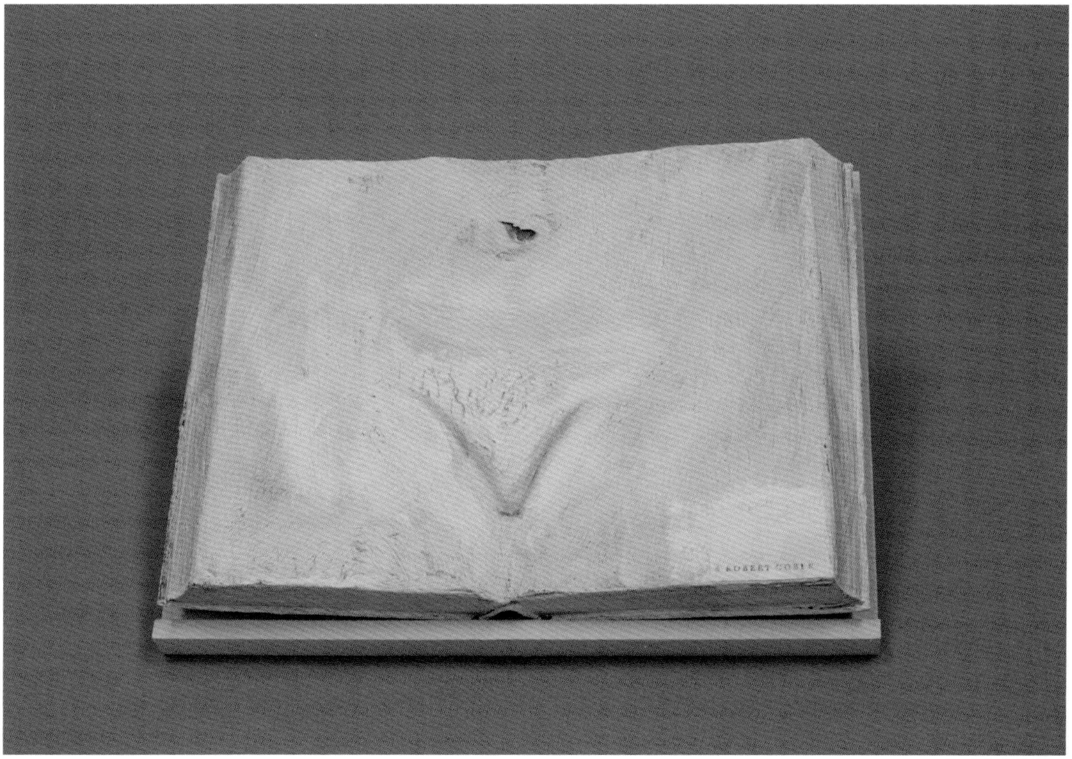

Manfred ERJAUTZ

*1966 in Graz/AUT, lebt in Wien | lives in Vienna

Evil Life, 1990
Holz | wood
190×70×50cm
Inv. Nr.: 153/1990

Michaela Nagl

Manfred Erjautz greift mit „Evil Life" das Thema Raum und Irritation auf. Für das Objekt, am Anfang seiner künstlerischen Laufbahn entstanden, bearbeitete er einen Sarg, jene Umhüllung, für welche die meisten Menschen erst nach Ende ihres Lebens Verwendung finden. Der vertikal dreifach aufgeschnittene Sarg irritiert, er zerstört die konnotierte Vorstellung von Totenruhe.
„Religiöse und gesellschaftliche Rituale bringen ebenso wie die Werbung Gegenstände hervor, die als Objekt gewordener Ausdruck für bestimmte, oftmals schwer ausdruckbare Empfindungen stehen."[1] Die Abgeschlossenheit eines Sarges gibt den Trauernden jenen Raum und damit auch Abstand, den sie für die Trauer in Anspruch nehmen wollen. Diese sichtbare räumliche Trennung lässt die Hinterbliebenen andererseits auch auf der Ebene der Erinnerung mit dem/der Toten in Verbindung treten. Erjautz verwirrt also gewaltig, indem er den Sarg aufschneidet und darüber hinaus diesem zum Objekt umfunktionierten rituellen Gebrauchsgegenstand den Titel „Evil Life" gibt. Kann das Böse, das Übel wieder zurück in die Welt der Lebenden? Wo endet oder beginnt wessen Raum?
Dass „der Raum nur ein einziges fürchterliches Drinnen-und-Draußen"[2] ist, wird nicht nur an diesem Frühwerk deutlich, vielmehr zieht sich das Wechselspiel von Öffentlichkeit und Privatheit durch das gesamte Schaffen von Manfred Erjautz.

1 Sabine Schaschl, Logos ohne Logos, in: Manfred Erjautz, Unknown Territory, Graz/Wien 2001, S. 100.

2 Gaston Bachelard, Poetik des Raumes, übers. von Kurt Leonhard, Frankfurt am Main 1987, S. 216.

In *Evil Life*, Manfred Erjautz addresses the subject of space and confusion. For this object from the beginning of his artistic career, he worked with a coffin, an encasement most of us only use after our lives have come to an end. The vertical coffin is cut open in three places, creating confusion and destroying the connoted idea of 'resting in peace'.
'Religious and social rituals, like advertising, bring forth objects that are a material embodiment of certain emotions that are difficult to express.'[1] The enclosure of the coffin gives mourners the space – and thereby the detachment – they require for their grieving. This visible spatial separation also allows the bereaved to connect with the deceased on the level of memory. By cutting open the coffin, Erjautz therefore adds immense confusion and compounds this by giving this ritual-artefact-turned-object the title *Evil Life*. Can evil, wickedness, come back into the world of the living? Where does each one's space begin and end? The concept of 'the horrible inside-outside that real space is'[2] is not only evident from this early work. Indeed, the interplay between the public and the private permeates Manfred Erjautz's entire oeuvre.

1 Sabine Schaschl, 'Logos ohne Logos', in Manfred Erjautz, Unknown Territory (Graz/Vienna, 2001), 100.

2 Ibid, 102.

Nicole SIX / Paul PETRITSCH

*1971 in Vöcklabruck/AUT, *1968 in Friesach/AUT, leben in Wien | live in Vienna

Räumliche Maßnahme (2) | *Spatial Measure (2)*, 2003
Plakatdruck | poster print
je | each 120 × 85 cm
Inv. Nr.: 142/2004

Michaela Nagl

Eine Person – der Künstler Paul Petritsch – schlägt ein Loch in die Hausmauer und springt aus dem zweiten Stockwerk ins Freie, in eine Baulücke zwischen zwei Häusern.
So lässt sich eine Aktion des Künstlerduos Nicole Six und Paul Petritsch beschreiben, eine „Räumliche Maßnahme (2)", so der Titel, mit dem Untertitel „Aus einer Serie von Versuchen den Raum zu öffnen". Das Interesse gilt dem Verhältnis von Raum und Körper und den Möglichkeiten einer konkreten Sichtbarmachung. Wie verhält sich der Körper zum oder im Raum während des freien Falles?
Als Raum wird hier die Baulücke definiert, von der aus die Aktion nichtig klein erscheint, genauso wie auch in der Gesamtansicht der Szene von der Straße aus. Der Moment des Loslassens von der Mauer bedarf enormen Mutes und einer Überwindung der Angst. Dokumentiert wird nur der Durchbruch, der Sprung und der Körper im freien Fall, nicht aber das Auftreffen am Boden. Solcherart Grenzüberschreitung und deren Erfahrung am eigenen Körper sind durchgehende Konstanten im Werk der Künstler.
Im weiten Feld der Annäherung an die Begriffe Raum, Zeit und Körper bewegt sich das Künstlerduo Six/Petritsch in der Nachfolge des Aktionismus und der Konzeptkunst der 1960er und 1970er Jahre. In Videoarbeiten, Fotografien, Zeichnungen und Installationen sind die temporären performativen Handlungen dokumentiert, in denen Zustände erkundet und bis an die Grenzen der physischen und psychischen Belastbarkeit erfahren werden.

A person – the artist Paul Petritsch – knocks a hole in the wall of a house and jumps out from the second floor into a gap between two buildings. This is how this action by artist duo Nicole Six and Paul Petritsch may be described – a *Spatial Measure (2)*, as the title states, with the subtitle: 'From a series of attempts to open up space'. Their interest focuses on the relationship between body and space, and how this can be made clearly visible. How does the body relate to and within space when it is in free fall? Space is defined here as the gap between two buildings, and from this perspective the action looks triflingly small, just as it appears in the overall view of the scene from the street. The moment of letting go of the wall requires tremendous courage and the ability to overcome fear. All that is documented is breaking through the wall, the jump and the free-falling body, but not the moment of hitting the ground. This crossing of boundaries and their direct physical experience are constant features in the artists' work.
Within the broad field of addressing concepts like space, time, and body, the artist duo Six/Petritsch are successors of Actionism and Conceptual Art from the 1960s and 1970s. In video, photographs, drawings, and installations, temporary performative actions are documented in which conditions are explored and experienced, testing the limits of physical and psychological endurance.

Annja KRAUTGASSER

*1971 in Hall in Tirol/AUT, lebt in Wien | lives in Vienna

Dashed II – spatial memory, 2004
Medieninstallation, Mobiltelefone, Wandgrafik | media installation, mobile phones, wall graphic
Dimension variabel | variable size
Inv. Nr.: 92/2006

Birgit Rinagl

Von der mentalen Repräsentation geografischer Räume und der Darstellung mehrdimensionaler komplexer Realität handelt die Videoinstallation „Dashed II" von Annja Krautgasser. Auf Mobiltelefonen präsentiert die Künstlerin Interviews mit insgesamt 13 Menschen, die sie zu ihrer persönlichen geografischen, architektonischen und räumlichen Wahrnehmung einer Stadt befragt hat: Welche Informationen werden verwendet, um sich in der Stadt orientieren zu können? Welche Informationen werden bewusst, welche unbewusst wie wahrgenommen?

„Dashed II" beschreibt den Prozess kognitiv, sensorisch und emotional rekonstruierter Räume, der auf mnemotechnische Verfahren rekurriert, mit deren Hilfe Information mittels räumlicher Zuordnung gespeichert wird. Die „erdachten Räume" werden auf Mobiltelefonen – die als Speichermedium persönlicher Daten aber auch zur geografischen Verortung ihrer BenutzerInnen Anwendung finden – im Ausstellungsraum grafisch relokalisiert und zu einem mentalen Netzwerk verbunden.

In einer Art Gedächtnisraum erleben die BetrachterInnen ein flüchtiges Parallel-Universum chronologisch und geografisch unterschiedlicher Wahrnehmungen, die „im Grunde das Ende der Vorstellung von dem einen Raum, eine radikale Subjektivierung der Raumvorstellung" (Karl Schlögel) assoziieren.

Annja Krautgasser's video installation *Dashed II* addresses the mental representation of geographical spaces and the depiction of multidimensional, complex reality. On mobile phones the artist presents interviews conducted with thirteen people whom she asked about their personal geographical, architectural, and spatial perception of a city: what information do they use to find their way around a city? What type of information is consciously perceived, and what is unconsciously absorbed?

Dashed II describes the process of cognitive, sensory, and emotionally reconstructed spaces which takes recourse to mnemonic devices used to store information through spatial allocation. On mobile phones – a storage device for personal data, but also a way of tracking the location of its user – the 'imagined spaces' are graphically relocated in the exhibition space and connected to form a mental network.

In a type of 'memory space', viewers experience a fleeting parallel universe of chronologically and geographically different perceptions, which essentially invoke 'the end of the idea of the one space and the radical subjectification of the concept of space' (Karl Schlögel).

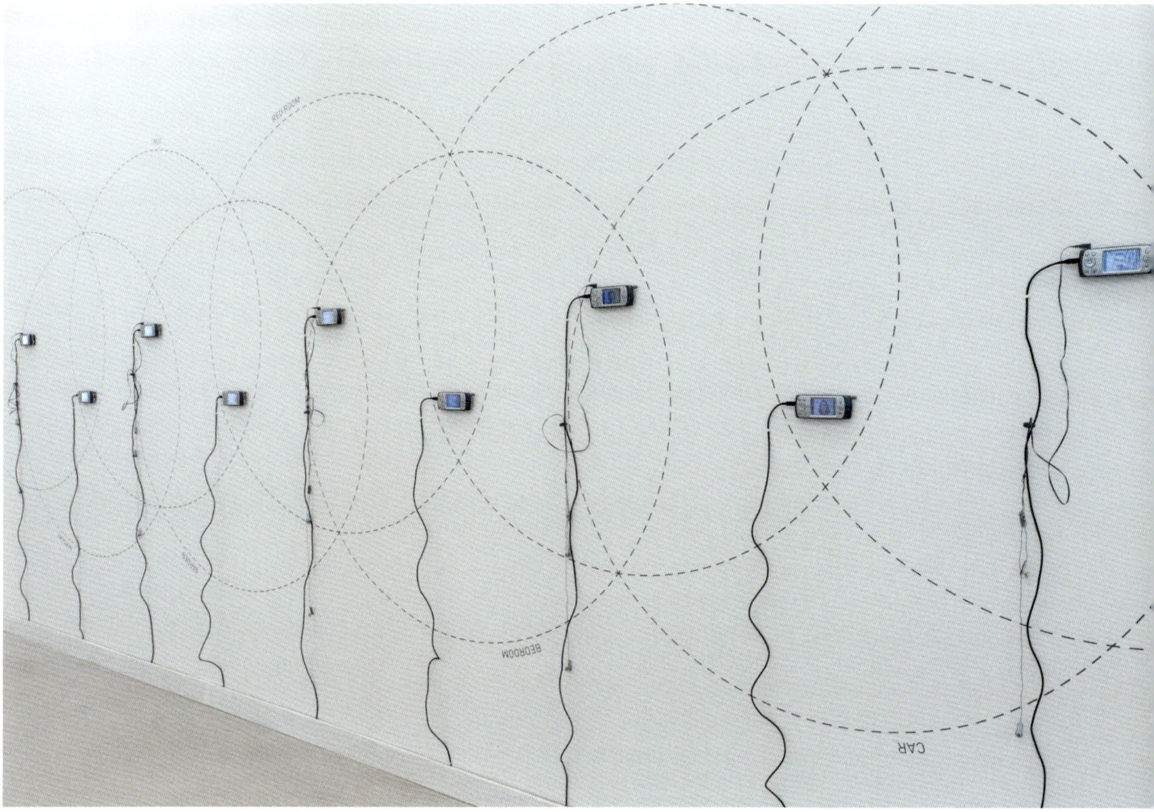
BEDROOM
CAR

Heide HEIDE

*1943 in Amstetten/AUT, lebt in Wien | lives in Vienna

Aus der Serie *„Von Mauern und Ritualen" (Nr. 19 und 42)* |
from the series *Of Walls and Rituals (No. 19 and 42),* 1986–1989
Farbfotos | colour photographs
36×25,5 cm und | and 25,5×36 cm
Inv. Nr.: 77/1990

Markus Schön

„Ähnlich wie Fließen als die innerste Natur eines Flusses gesehen werden kann, gehört Wandel zur Natur allen Lebens. [...] Wandel bzw. Übergänge bahnen einen Weg von hier nach dort. Sie überbrücken, überqueren oder durchwandern ein Dazwischen: einen ‚Raum zwischen den Räumen' oder eine ‚Zeit zwischen den Zeiten'".[1]

Rituale thematisieren Wandlungsprozesse und Übergänge. Sie klären, initiieren und begleiten Prozesse, die der Mensch im Zusammenhang mit für ihn notwendigen Um- und Neuorientierungen nutzt, und geben Raum für den Umgang mit individuellen Zuständen und Gefühlen. Gleichzeitig dienen sie der Kommunikation und Ordnung in sozialen Gemeinschaften. Rituale setzen aber auch Grenzen, Kriterien und Regeln für Verhaltensweisen jedes Individuums innerhalb seines sozialen Gefüges.[2]
Heide Heide stellt Mauern in den Kontext von Ritualen. Mauern sind Raumzäsuren. Ob die chinesische Mauer, der Limes oder die Berliner Mauer: sie alle waren Grenzbefestigungen, Abgrenzungen von anderen Gemeinschaften, Ideologien, Ritualen. Sie sind Teil der menschlichen Geschichte – und als solches endlich und oftmals nur mehr in Bruchstücken oder als Ruinen erhalten: wie das Kolosseum und die Spolien auf dem Palatin in den Fotografien der Künstlerin.

1 Baxa, Guni Leila: Rituale als Medium für Wandel. Online im Internet: URL:/ http://www.apsys.org/shop/data/container/Artikel/Baxa%20Art%20Ritual.pdf [Stand 2012-04-08]

2 Ebenda.

'Just as flowing can be seen as inherent to the nature of a river, change is part of the nature of all life. ... Change and transitions pave the way from here to there. They bridge, cross, and pass through an in-between: a "space between the spaces" or a "time between the times".'[1]

Rituals address processes of change and transition. They clarify, initiate, and accompany processes that we need in order to cope with inevitable shifts or a complete reorientation in life, and they provide the space to deal with individual emotions or states of mind. At the same time they serve as a means of communication and order in social communities. But rituals also set boundaries and form criteria and rules of behaviour for each individual within his or her social framework.[2]
Heide Heide places walls in the context of rituals. Walls are space caesuras. The Great Wall of China, the limes of ancient Rome, the Berlin Wall: all were border defences creating divisions from other communities, ideologies, and rituals. They are part of human history – and as a result they are finite, often existing now only as fragments or ruins, like the Colosseum or the spolia on the Palatine in the artist's photographs.

1 Guni Leila Baxa, 'Rituale als Medium für Wandel' [website], <http://www.apsys.org/shop/data/container/Artikel/Baxa%20Art%20Ritual.pdf>, accessed 8 April 2012

2 Ibid.

Andrea BOŽIĆ / Julia WILLMS

*1970 in Zagreb, *1974 in Wilhelmshaven/GER, leben in | live in Amsterdam

pulse line, 2004
Video | video
6:15 min
Inv. Nr.: 77/2006

Birgit Rinagl

Mit ihrer Videoinstallation „pulse line" nähern sich Andrea Božić und Julia Willms den sinnlichen Funktionen des Körpers. Wenngleich die Nahaufnahme der Hautoberfläche keinem bestimmten Körperteil zugeordnet werden kann, vermittelt sie Intimität und den Wunsch nach Berührung: Unregelmäßigkeiten sind ebenso sichtbar wie einzelne Pigmentbildungen, die zu den individuellen Merkmalen des menschlichen Körpers zählen.

Im Zentrum der Wahrnehmung stehen vertikale Linien, Hautfalten, die sich von rechts nach links und vice versa bewegen, sich kreuzen und überlagern, einander ebenso anziehen, wie sie sich voneinander abstoßen – und sich dabei nie berühren. Der visuelle Eindruck wird durch eine Sound-Komposition ergänzt.

Die Haut, das funktionell vielseitigste und flächenmäßig größte Sinnesorgan des Menschen, fungiert als Schutzhülle sowie als Medium der Repräsentation und Kommunikation. Andrea Božić und Julia Willms heben in „pulse line" die Abgrenzung zwischen innen und außen auf, indem sie den Pulsschlag, der unter der Haut stattfindet, in Form einer rhythmischen Abfolge von Linien an der Körperoberfläche sichtbar machen.

In their video installation *pulse line* Andrea Božić and Julia Willms explore the body's sensory functions. Although the close-up shot of the skin's surface cannot be identified as any particular part of the body, it communicates intimacy and the desire to be touched. Irregularities and the occasional pigmentation are visible, as individual traits of the human body.

At the centre of our perception there are vertical lines: folds of skin, moving from right to left and vice versa, crossing, overlapping, attracting as much as they are repelling each other – yet never touching. The visual impression is enhanced by a sound composition.

Skin, the most versatile human sensory organ and the largest in area, acts as a protective coat and as a medium for display and communication. In *pulse line*, Andrea Božić and Julia Willms break down the boundary between inside and outside, as the pulse, which beats beneath the skin, is made visible on the body's surface through a rhythmic sequence of lines.

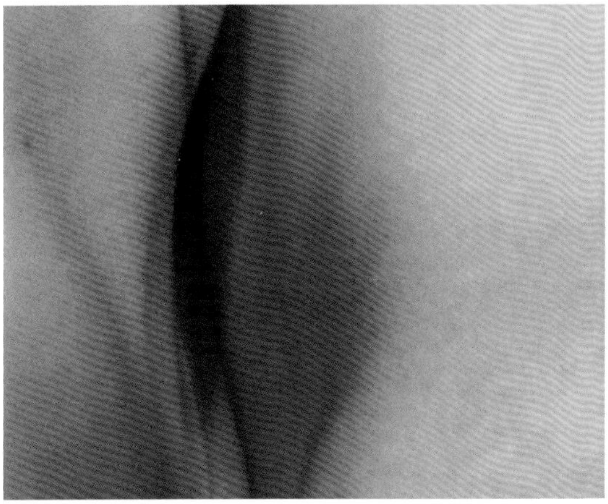

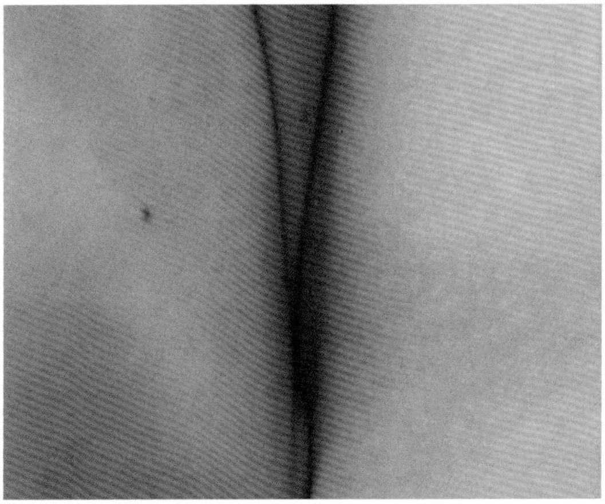

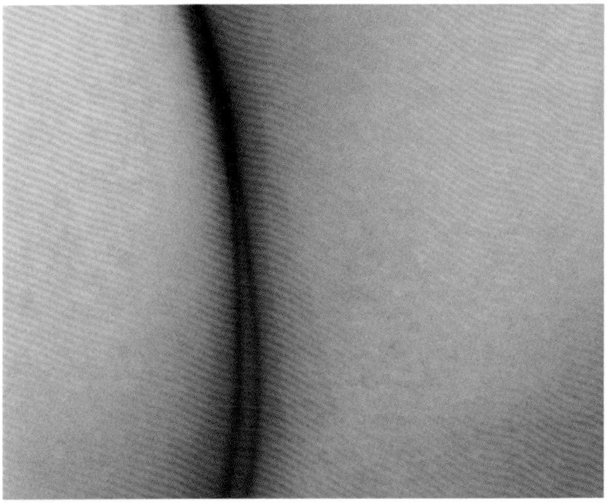

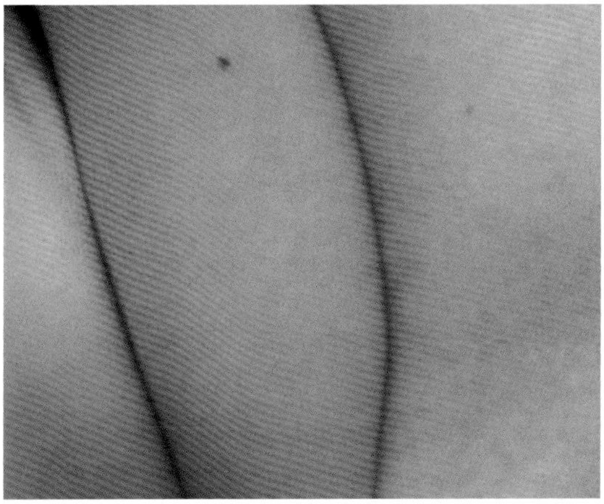

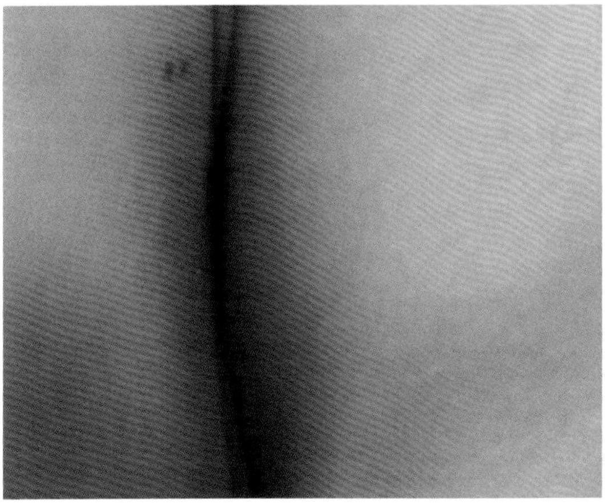

Ruth SCHNELL

*1956 in Feldkirch/AUT, lebt in Wien | lives in Vienna

Koffer | Suitcase, 1993
Videoskulptur | video sculpture
160×60×40 cm
Inv. Nr.: 177/1995

Markus Schön

Wie kaum ein anderer Alltagsgegenstand ist der Koffer Synonym für das Reisen – mitunter auch das unfreiwillige Abreisen. Im Zuge des Zweiten Weltkriegs wurden viele Menschen gezwungen, ihre Koffer zu packen. Millionen von ihnen wurden ermordet – ihr Gepäck blieb zurück.
Die Videoskulptur von Ruth Schnell nimmt auf die mit dem Nationalsozialismus einhergehenden Vertreibungen Bezug. Ein Video wird auf einen geöffneten Koffer projiziert. Als Grundlage dient jenes bekannte Foto von 1938, das Anna und Sigmund Freud aus dem Zugfenster blickend zeigt. Sie waren durch das Regime zur Emigration genötigt. Schichtungen, Unschärfen und Überlagerungen setzen das Bild in Bewegung. Zu hören sind die rhythmischen Geräusche eines fahrenden Zuges, aus dem Inneren eines Abteils wahrgenommen.[1]
Die Videoskulptur „Koffer" wurde für das Projekt „Kunst: Die ½ Miete" entwickelt. Private Haushalte stellten gegen Entgelt einen Monat lang jeweils ein Kunstwerk aus und machten ihre Wohnung zu bestimmten Zeiten der Öffentlichkeit zugänglich.[2]
Das Ausstellungskonzept führte zu einem Verschleifen von Innen- und Außenraum. Ein „Fremdkörper" wurde Teil einer Privatsphäre, ihre Intimität durch Öffentliches überlagert. Das bewegte Standbild der Freuds wurde bald wieder demontiert und – symbolisch im Koffer verpackt – in andere (Zeit)Räume gebracht.

1 Schnell, Ruth: Videoskulptur. Online im Internet: URL: http://www.ruthschnell.org [Stand 2012-04-04]

2 Ebenda

Among everyday objects, the suitcase is the ultimate symbol of travel – and this also includes enforced travel. During the Second World War, many people were forced to pack their suitcases. Millions were murdered – their luggage left behind.
This video sculpture by Ruth Schnell refers to the Nazi expulsions. A video has been projected onto an open suitcase. It is based on the famous photo of 1938, showing Anna and Sigmund Freud looking out of a train window as they were being forced to flee from the regime. Layering, blurring, and overlapping set the image in motion. One can hear the rhythmic sounds of a travelling train from inside a compartment.[1]
The video sculpture *Suitcase* was created for the project 'Kunst: Die ½ Miete' (Art: ½ the Rent).[2] Private households could rent an artwork for a month and would open their apartment to the public at certain times.[3]
This exhibition concept blurred the boundaries between interior and exterior space. A 'foreign body' was introduced into personal space; public access interfered with the intimacy of the private. This moving image of the Freuds was soon dismantled – symbolically packed in a suitcase – and taken to other times and places.

1 Ruth Schnell, video sculpture [website] <www.ruthschnell.org>, accessed 4 April 2012

2 Translator's note: A pun from the idiom 'die halbe Miete' meaning 'half the battle' but, literally, 'half the rent'.

3 Ruth Schnell, video sculpture, op. cit.

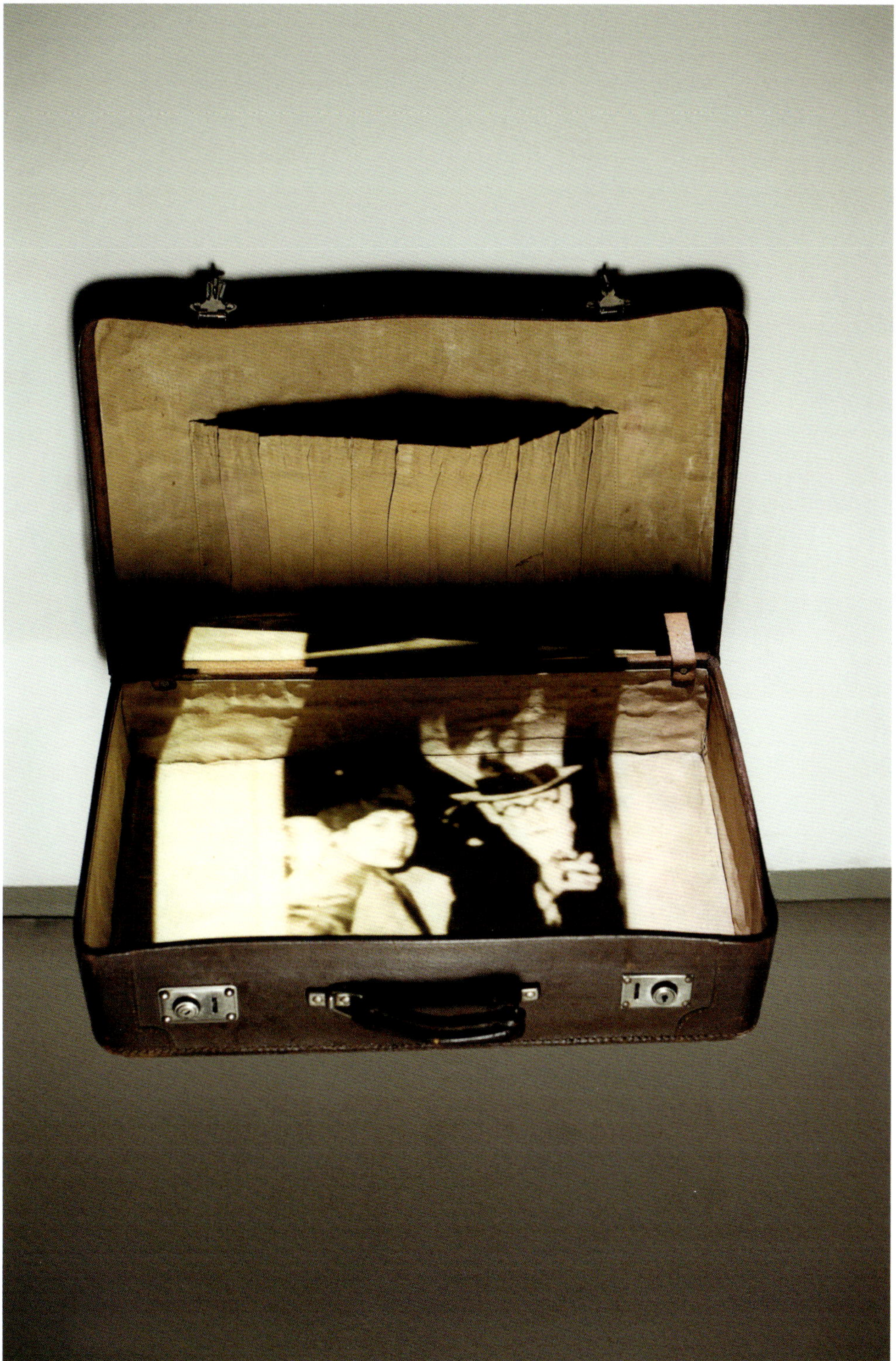

Barnabas HUBER

*1976 in Vöcklabruck/AUT, lebt in Wien | lives in Vienna

Auspizien | *Auspice*, 2010
Video | video
3:32 min
Inv. Nr.: 166/2010

Roland Fink

In dem aus dem römischen Kultusbereich stammenden Ritual der Auspizienbefragung versuchten Beamte (Auguren) in einem von ihnen vorher mit einem Stab definierten viereckigen Raum in der Natur die Flugrichtungen von Vogelschwärmen auf göttliche Antworten hin zu interpretieren.
Barnabas Huber bedient sich anstelle eines Stabes seiner Kamera und lässt das Publikum ohne jegliche Frage-Antwort-Spiele den abgesteckten Bereich einfach nur beobachten. Ohne Vögel handelt es sich um eine leicht changierende blaue Fläche. Erst durch die Dynamik der Vögelzüge erhält die projizierte Himmelsebene ihre dritte Dimension und wird somit zum Raum. Schwieriger zu differenzieren, aber dank des harmonischen Schauspiels keineswegs anstrengender zu rezipieren wird es, wenn verschiedene Vogelschwarmebenen einander überlagern, mitunter sogar überblenden: Dann möchte der/die BetrachterIn subliminal den einzelnen Vogelformationen eigene Räume zuweisen, was die vielfachen Möglichkeiten der Raumdefinition jedoch verweigern. Das wellenartige chaotische Übereinanderstürzen der strukturierten geordneten Vogelzüge wird von der Tonebene (B. Sikorski, B. Huber) gespiegelt, die dem/der BesucherIn einen akustischen Leitfaden durch ein Labyrinth ohne Wände bietet.

In the ancient Roman ritual of 'taking the auspices', officials (augurs) would mark out a rectangular space in the sky with a staff and attempt to read the flight directions of flocks of birds in nature, interpreting these as divine answers.
Instead of a staff, Barnabas Huber uses his camera and, without any game of question and response, simply lets his audience watch the marked-out area. Without birds it is no more than a shimmering blue surface. Only the dynamic of the migrating birds gives this projected sky its third dimension, making it into a space. It becomes harder to differentiate – although still easy to perceive thanks to the harmony of the spectacle itself – when different flocks of birds overlap, sometimes dissolving into each other. At this point the viewer subliminally wants to allocate separate spaces to the different formations of birds, but this is denied by the multiple possibilities of spatial definition. The undulating, chaotic swooping of these structured, ordered flocks of birds is echoed by the sounds (B. Sikorski, B. Huber), providing the viewer with an acoustic guide through a labyrinth without walls.

Hermes PAYRHUBER

*1969 in Wien, lebt in New York | in Vienna, lives in New York

Wenn die Welt stillsteht – Short Circuits (Zeichnungen, Notizen... zu einer Einheit verknüpft) |
When the World Stands Still – Short Circuits (drawings, notes... combined as a whole), 2006
Papier | paper
500 x 0,3 cm
Inv. Nr.: 39/2008

Birgit Rinagl

Wie „im Raum stehen gelassen" präsentieren sich persönliche Zeichnungen, Skizzen und Notizen von Hermes Payrhuber in seiner Installation „Wenn die Welt stillsteht – Short Circuits". Unspektakulär inszeniert der Künstler fragmentarische Wirklichkeitsmodule, die als Objekt mögliche Realitätszusammenhänge generieren. Das Ensemble erscheint in Form einer Säule, die den Boden mit der Raumdecke verbindet und in einem runden Spiegel ins Unendliche ausgeweitet wird.
Der Fokus gilt der Dichotomie zwischen Sichtbarem und Nichtsichtbarem bzw. der Simultaneität von Anwesenheit und Abwesenheit: Die einzelnen Papierfragmente, die eingerollt und mittels Klebestreifen miteinander verbunden sind, ergeben in Summe ein Narrativ ohne Anfang und Ende, dessen semantische Bedeutung den BetrachterInnen vorenthalten bleibt. Wird die sinnstiftende Funktion eines Textes außer Kraft gesetzt, kommt es zu einer Unterbrechung des Interpretationsprozesses, zu einem destabilisierenden Stillstand, der Neuorientierung fordert: Es entsteht „ein kontingentes Ensemble von Praktiken und Gegenständen",[1] das, in Form einer Assemblage, Milieus dechiffriert und neu kodiert, um unbekannte Räume und Rezeptionsweisen zu erschließen.

1 Gilles Deleuze/Felix Guattari, A Thousand Plateaus. Capitalism and Schizophrenia, Minneapolis 1987, S. 504f.

In his installation *When the World Stands Still – Short Circuits,* Hermes Payrhuber's personal drawings, sketches, and notes are presented as though 'left behind in space'. Fragments of reality, which, as an object, create possible connections with it, are unspectacularly arranged. The ensemble takes the form of a column connecting the floor with the ceiling, and is extended into infinity via a round mirror.
The focus is on the dichotomy between the visible and the non-visible, the simultaneity of presence and absence. The fragments of paper, which are rolled up and joined together with sticky tape, in their sum total create a narrative without beginning or end, whose semantic meaning remains hidden from the viewer. When a text's function to convey meaning is suspended, the interpretation process is interrupted and grinds to a destabilizing halt, calling for a change in course. 'A contingent ensemble of practices and things'[1] emerges, which, in the form of an assemblage, deciphers and re-codes environments so as to open up unknown spaces and modes of reception.

1 Saskia Sassen, Territory, Authority, R ights: From Medieval to Global Assemblages (Princeton, 2006), 5 (referring to Gilles Deleuze and Felix Guattari, A Thousand Plateaus: Capitalism and Schizophrenia).

Erwin WURM

*1954 in Bruck an der Mur/AUT, lebt in Wien und Limberg/AUT | lives in Vienna and Limberg/AUT

Aus der Serie ***„59 Stellungen"*** | from the series ***Fifty-Nine Positions,*** 1992
Farbfotos | colour photographs
je | each 51×71cm
Inv. Nr.: 162/1994

Alexandra Matzner

59 Varianten, wie Kleidung den Körper vollständig verhüllt. 59 Stellungen, in denen der Körper der Kleidung folgt und nicht umgekehrt. 59 Positionen, in denen der Künstler selbst in möglich-unmöglichen Positionen durchaus auch Heiterkeit erregt. Mit der Videoarbeit „59 Stellungen" aus dem Jahr 1992 erweitert Erwin Wurm den Skulpturenbegriff um Performativität, Fragilität und Kurzlebigkeit der Posen. In 20 Minuten führt Wurm selbst vor, welche absurden Nutzungsmöglichkeiten Kleidung zulässt, indem er beispielsweise zur Gänze in einem Sakko verschwindet oder in einem Pullover, bäuchlings am Boden liegend und die Arme am Rücken nach oben haltend, die Form einer Handtasche imitiert. Für manche Posen verbog sich Erwin Wurm wie ein Schlangenmensch, andere Bilder nutzen die Perspektive des Kameraauges. Da das Video nicht zeigt, wie der Künstler die Positionen einnimmt, sondern stakkatoartig die Ergebnisse der Verwandlungen vorführt, ist die Arbeit auch als Fotoserie produziert worden. Dem Künstler gelingt darin eine ironische Befragung des Verhältnisses von Körper und Kleidung, indem er Letztere zur formgenerierenden statt formfolgenden Schale umfunktioniert. Wie die Architektur als Raumhülle ist Kleidung eine Körperhülle, die maßgeblich das Körpergefühl nach außen trägt und gleichzeitig nach innen wirkt.

Fifty-nine variations of how clothes can entirely conceal the body. Fifty-nine positions in which the body is moulded by its clothes and not the other way round. Fifty-nine positions in which the artist explores the possibilities of impossible positions with some amusing results. In 59 Positions, Erwin Wurm expands the concept of sculpture through the performative, fragile, and short-lived nature of poses. In this twenty-minute video from 1992 the artist himself presents the potential of clothing to be used in absurd ways. In one picture he is entirely engulfed by a blazer; in another, lying belly-down on the floor and holding his arms above his back, he imitates a handbag. For some of the poses, Erwin Wurm bends his body like a contortionist; for others he makes use of the camera's perspective. As the video does not reveal how the artist assumes his positions, but presents the results of his transformations in a staccato fashion, the work was also produced as a series of photos. In this, the artist ironically questions the relationship between body and clothes. Rather than following the body's shape, these clothes form its shape. Just as architecture is an outer shell for space, clothing is a 'second skin' and, to a significant extent, both communicates and defines how the wearer feels about his or her body.

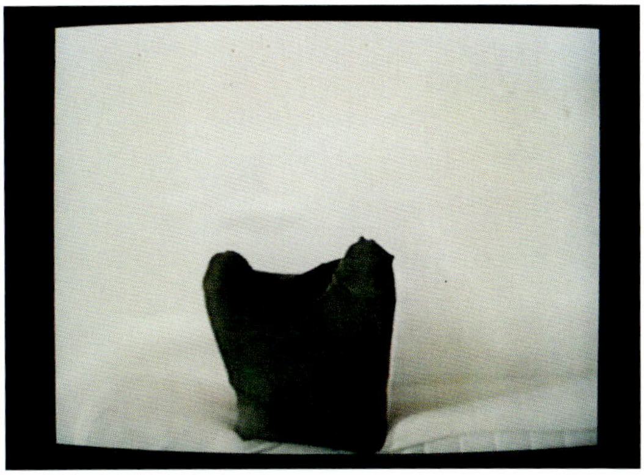

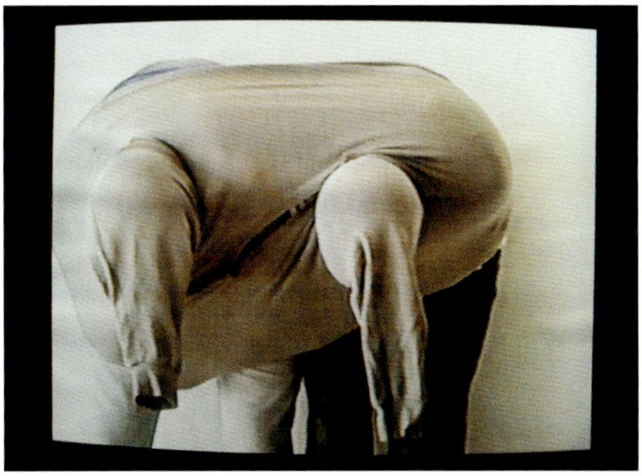

Julia WILLMS

*1974 in Wilhelmshaven/GER, lebt in | lives in Amsterdam

tensiontest, 2001
Video | video
6:26 min
Inv. Nr.: 79/2006

Birgit Rinagl

Ein kristallines Gebilde zieht langsam und geräuschlos vorüber – ähnlich einem durch das All gleitenden Himmelskörper. Es besteht aus einer großen Anzahl von miteinander verbundenen durchsichtigen Kammern, die mit Luft gefüllt sind. Die Kontemplation, in die der/die BetrachterIn unweigerlich verfällt, wird jäh unterbrochen, wenn das Konstrukt Stück für Stück einzustürzen droht.
Durch Zurückhaltung, Verlangsamung und Reduktion erzeugt Julia Willms in der Videoinstallation „tensiontest" eine Erwartungshaltung, die dem Suchen nach dem Platzen der nächsten Zelle gilt. Der Blick des Betrachters, der Betrachterin taucht in den Prozess der Spannung des fragilen Systems ein, der unweigerlich zur Auflösung desselben führt.
„tensiontest" beschreibt einen Spannungsbogen ohne semantischen Zusammenhang, der auf dem Konzept der Vorhersehbarkeit basiert. Der Akt des Betrachtens löst sich in einen der emotionalen Reaktion auf, der in der subjektiven Gewissheit über das Eintreten des erwarteten Ereignisses gründet. Entlang der Schnittstellen zwischen Endlichkeit und Unendlichkeit, Konstruktion und Dekonstruktion sowie zwischen Rezeption und Irritation wird der Wahrnehmungsprozess intensiviert und erlebbar gemacht.

A crystalline structure drifts past slowly and soundlessly – rather like some celestial body gliding through space. It is composed of a large number of connected, transparent bubbles, filled with air. The contemplation, into which the viewer inevitably lapses, is suddenly disrupted when the construct threatens, piece by piece, to collapse.
In the video installation *tensiontest* Julia Willms builds up an air of expectation through restraint, reduction, and slowing down, leaving us waiting for the next cell to burst. Our gaze becomes immersed in the process of tension within this fragile system, which inevitably causes its dissolution.
tensiontest describes an arc of suspense, which has no semantic context but is based on the concept of predictability. The act of observing dissolves into an emotional reaction, arising from the subjective certainty that the expected is about to happen. It is along the interfaces between the finite and infinite, construction and deconstruction, and reception and confusion that the process of perception is intensified and made conscious.

Peter SANDBICHLER

*1964 in Kufstein/AUT, lebt in Wien | lives in Vienna

The Uniform of the Private #3, 1996
Metallspinde und Gurte | metal lockers and transport straps
220 x 240 x 260 cm
Inv. Nr.: 134/2005

Franz Thalmair

Bei Peter Sandbichlers mehrteiliger Werkserie „The Uniforme of the Private" handelt es sich um sogenannte „Tensegrities", Figuren, die vom Architekten Richard Buckminster Fuller geprägt und angewendet wurden, um seine visionären Kuppel- und Tragwerksstrukturen zu bauen. Der Terminus, der sich aus dem Ineinandergreifen der beiden Wörter „tension" (Spannung) und „integrity" (Gesamtheit) ableitet, steht programmatisch für die Idee, dass die Konstituenten einer architektonischen Anordnung voneinander abhängig sind und Raum erst durch die wechselseitigen Beziehungen zwischen den Elementen entstehen kann. Vom dreidimensionalen auf den sozialen Raum übertragen, wirken im Fall von „The Uniforme of the Private #3" unterschiedliche Druck- und Zugkräfte auf Metallspinde, die dem Menschen im Laufe seiner Biografie – in der Schule etwa, beim Militär, im Krankenhaus oder bei der Arbeit – als privater Raum in öffentlichen Institutionen zur Verfügung stehen. In Analogie zur Gesamtheit der architektonischen Kräfte, die die endgültige Form des Objekts „The Uniforme of the Private #3" ergeben, ist auch die Gesamtheit der sozialen Kräfte maßgebend für die Form, die jede menschliche Biografie im Laufe der Zeit annimmt – sozial konstruierter Raum.

Peter Sandbichler's multi-part series *The Uniform of the Private* consists of so-called 'tensegrity' structures, which were devised and used by the architect Richard Buckminster Fuller to build his visionary domes and space-frame structures. The term combines the words 'tension' and 'integrity' and is a programmatic reflection of the idea that components in architecture are mutually dependent and space only arises through the interrelationships between the various elements. In *The Uniform of the Private #3,* these ideas have been transferred from three-dimensional space to social space. Metal lockers, allotted to people during the course of their lives to offer a private space within a public institution – for example at school, in the army, in hospital, or at work – are subjected to various tension and compression forces. The sum total of architectonic forces, resulting in the final form of *The Uniform of the Private #3,* echoes the sum total of social forces, which fundamentally shape each human biography over time: a socially constructed space.

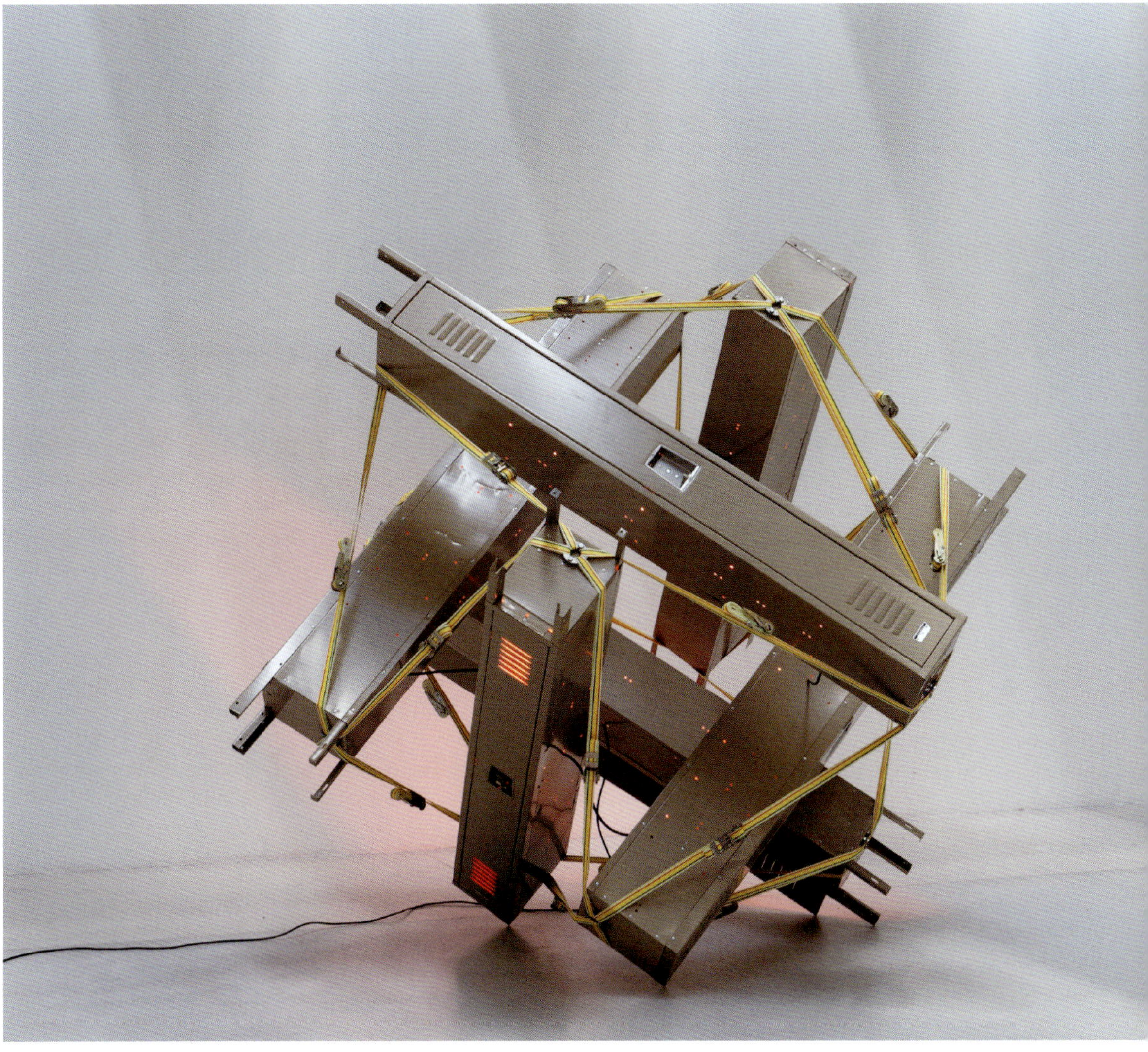

Günther und | and Loredana Selichar

*1960 in Linz/AUT, *1962 in Rom, leben in Wien | *1960 in Linz/AUT, *1962 in Rome, live in Vienna

GT-Granturismo, 2001
Video | video
5:00 min
Inv. Nr.: 12/2003

Roland Fink

Als „Granturismo" wurden seit der Mitte des 20. Jahrhunderts Sportwägen bezeichnet, die für „große Fahrten" und eben nicht für Kurzstrecken gebaut wurden. Jüngeren Generationen ist unter der Abkürzung GT in erster Linie das gleichnamige Computersimulationsspiel bekannt, das aufgrund seiner realistischen Visualisierung hohe Aufmerksamkeit in der Öffentlichkeit erregte. Die Visualisierungs- und die Tonebene ruft Assoziationen zum Genre des Roadmovies hervor, während die Insektenkörper am Ende des Kurzfilms eine eindeutige Referenz zu Jackson Pollocks Action Paintings darstellen.

Der Bildschirm definiert als Windschutzscheibe den für das Publikum sichtbaren Raum. Das anfänglich überaus satte Motorengeräusch mutiert schnell in einen dynamischen Rhythmus (W. Mitter, G. Selichar), der die Geschwindigkeit des eigenen zwar unsichtbaren, dennoch wahrgenommenen Raumes, der FahrerInnenkabine, unterstreicht. Nach anderthalb Minuten wird der/die BetrachterIn aus der Harmonie der zentralperspektivischen Komposition der pittoresken Landschaft (Achtung! Tunnelblick!) und der einnehmenden Akustik brutal herausgerissen. Wie es guter Filmmusik eigen ist, antizipiert auch hier die Tonebene das visuelle Geschehen. Mit einem bildlichen und akustischen Aufschrei erhalten die Räume unerwartet eine weitere Erzählebene – jene des kleinen, beiläufigen und unter normalen Umständen kaum wahrnehmbaren, trotzdem omnipräsenten Todes, der im Laufe des Videos die gegebene Raumdefinition ironisch auflöst.

'Gran Turismo' has been the name used since the mid-twentieth century for sports cars built for long tours, rather than short distances. Younger generations are more familiar with the GT computer game, which received public acclaim for its realistic visualization.

The imagery and soundtrack of this video installation conjure up associations with road movies, while the dead insects at the end of the short film are a clear reference to Jackson Pollock's Action paintings.

The screen/windshield defines the space visible to the viewer. The, initially, rich and deep roar of the engine soon becomes a dynamic rhythm (W. Mitter, G. Selichar), which enhances the sense of speed experienced by the viewer 'inside the car' – an invisible space that, nevertheless, is still perceived. After one-and-a-half minutes, the viewer is brutally torn from the harmony of the picturesque scenery in its one-point perspective (beware – tunnel vision!) and the absorbing acoustic backdrop. As in all good film music, the soundtrack anticipates the events on the screen. With a visual and acoustic scream, another narrative is unexpectedly introduced into the space – that of small incidental deaths, barely perceptible under normal circumstances, but still omnipresent. In the course of the video these ironically dissolve the established definition of space.

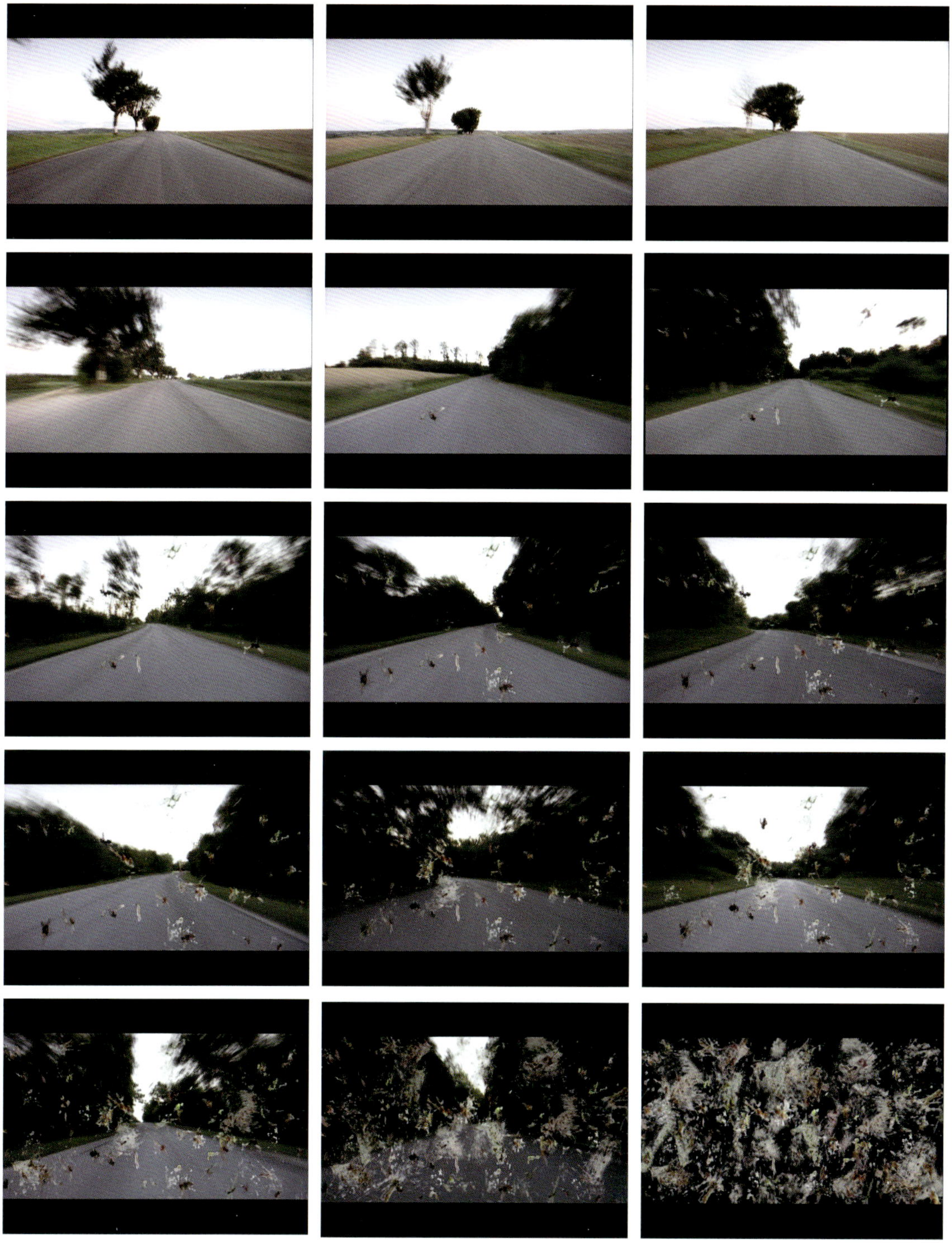

Clemens STECHER

*1968 in Wien, lebt in Wien | in Vienna, lives in Vienna

Der Sonne entgegen | Into the Sun, 2000
Aquarell und Tusche auf Papier | watercolour and Indian ink on paper
35,8 x 25 cm
Inv. Nr.: 35/2000

Michaela Nagl

Der Fall oder Flug des roten Autos über einen Abhang vermittelt trotz der mitgedachten bevorstehenden Katastrophe eines entsetzlichen Autounfalls ein friedliches, idyllisches Szenario. Der nächste Moment, der Aufprall, spielt sich nur in den Köpfen der BetrachterInnen ab, die zu einer emotionalen Reaktion herausgefordert werden.
Aus der Froschperspektive beobachtet, segelt der rote Oldtimer „der Sonne entgegen" und überträgt in dieser Schwerelosigkeit – „frei wie der Wind", wie es in dem Lied weiter heißt – tatsächlich einen kurzen Moment von Euphorie. Der Unfall wird ausgeblendet, übrig bleibt ein Fahrzeug in der Luft, losgelöst von jeder sonst so essenziellen Bodenhaftung.
Clemens Stecher reflektiert in seinen Arbeiten die ihn umgebende Erscheinungswelt. Er bedient sich eines vorgefundenen Materials aus Magazinen, Fotos, Zeitungen und führt es meist in einer Bild- und Textkombination zu neuen Inhalten zusammen. Stechers als „Scharade (I–IV)" ausgewiesene Werkserien hinterfragen politische und öffentliche Themen genauso wie private und scheinbar harmlose Inhalte in kritischer Analyse. Das Blatt „Der Sonne entgegen" bezieht sich vermutlich ebenso auf *found footage* aus den Medien.

The fall or flight of a red car over a precipice conveys – despite the implied imminent disaster of a horrific car accident – a peaceful and idyllic scenario. The next moment, the impact, takes place only in the mind of the viewer, who is challenged to respond with an emotional reaction.
Seen from a worm's-eye perspective, the red vintage car is sailing 'into the sun' and in this weightlessness – 'free as the wind' as in the German song from the 1980s1 – there is indeed a fleeting moment of euphoria. The accident fades out and all that remains is a vehicle suspended in the air, released from the ground to which it is otherwise so intrinsically bound.
In his works, Clemens Stecher reflects the world he perceives around him. He draws on existing material from magazines, photos, and newspapers, usually amalgamating this in combinations of text and image to create new content. Stecher's *Charade (I–IV)* series questions topics from political and public debate, as well as personal and seemingly innocent content, in a critical analysis. The work *Into the Sun* presumably also alludes to 'found footage' in the media.

1 The German lyrics: 'Der Sonne entgegen, frei wie der Wind'

Julien DIEHN

*1975 in Berlin, lebt in Wien | lives in Vienna

Schubkarre (der große Wurf) | Wheelbarrow (Smash Hit), 2005
Schwarzweißfotos | black-and-white photographs
je | each 40×40 cm
Inv. Nr.: 112/2006

Alexandra Matzner

Drei Schwarz-Weiß-Fotografien zeigen den Unfall einer Schubkarre. Der BetrachterInnenstandpunkt wird dabei immer näher gerückt, die glatte, metallene Oberfläche des verunfallten Transportmittels steht zunehmend im Gegensatz zur zersplitterten Holzdecke, durch die die Schubkarre gebrochen ist. Die Installation „Unfallstudie (Schubkarre)" wurde von Diehn im Zuge des einmonatigen Off-Space-Projektes „RaumAustausch" konzipiert. Die Arbeit verband die Vorstellung eines handlungsbezogenen Raumgeflechts mit einer skulpturalen Statuarik. Die Bewegung der Schubkarre ist durch den Unfall zum Stillstand gekommen, aus dem bodengebundenen Gefährt wurde ein Flugkörper. Raumzusammenhänge bzw. Raumrelationen wurden folglich neu artikuliert; es entstand ein Spielraum für Experimente. Der Raum war hier nicht mehr nur der Behälter eines skulpturalen Werks, sondern das Ergebnis von Bezügen.[1] Die gleichzeitige Präsenz von Objekt und BetrachterInnen machte den Ort in der Wiener Lerchenfelderstraße 65 durch Öffnung zu einem (theatralen) Raum. Der Unfall, oder besser das Durchbrechen der Deckendielen, ließ eine irritierende Situation entstehen, in der der Raum als kontingent und verletzlich geschildert wurde.

1 Die Akzentverschiebung von der Substanzvorstellung von Raum (Raum als eigenständige, dreifach determinierte Entität) zur Beschreibung von Raum als Elemente, die relational aufeinander bezogen sind, fasst Stephan Grünzel zugunsten der topologischen Lesart des Raumes zusammen. Stephan Grünzel, Raum – Topographie – Topologie, in: ders. (Hg.), Topologie. Zur Raumbeschreibung in den Kultur- und Medienwissenschaften, Bielefeld 2007.

Three black-and-white photographs show a wheelbarrow accident. The viewer's vantage point moves ever closer, so the crashed wheelbarrow's smooth metal surface stands out more and more against the splintered wood ceiling through which it has broken. The installation *Wheelbarrow (Smash Hit)* was designed by Diehn as part of the one-month artist-space project 'RaumAustausch' (SpatialExchange). The work combined the concept of a spatial construct related to action with the sculptural. The wheelbarrow's movement has been halted by the accident; the ground conveyance has become a flying vessel. Spatial connections and relations have thus been rearticulated and room for experiment created. Space is no longer merely the receptacle of a sculptural work, but the result of interactions.[1] The simultaneous presence of object and viewers opened up the location at Viennese Lerchenfelderstraße 65 and made it into a (theatrical) space. The accident, or rather the breaking through the ceiling boards, created a confusing situation in which space is represented as contingent and vulnerable.

1 The shift in emphasis from the notion of space as substance (space as an independent, threefold entity) to the description of space as interrelated elements was summarized by Stephan Grünzel as a topological reading of space. Stephan Grünzel, 'Raum – Topographie – Topologie', in idem (ed.), Topologie: Zur Raumbeschreibung in den Kultur- und Medienwissenschaften (Bielefeld, 2007).

Friedrich KIESLER

*1890 in Czernowitz/UKR – †1965 in New York

Plan zu einer (Ring-)Bühne für das Endless Theatre | Plan of a Circular Stage for the Endless Theatre, 1925
Vintage-Print | vintage print
20,3 x 25,7 cm
Leihgabe der Österreichischen Friedrich und Lillian Kiesler Privatstiftung Wien |
loan from the Austrian Frederick and Lillian Kiesler Private Foundation, Vienna

Gerd Zillner

„Raumbühne", „Raumtheater", „Raumstadt", „Raumskulpturen" – das Medium Friedrich Kieslers war der Raum. 1890 in Czernowitz geboren und 1965 in New York gestorben, springt der in allen künstlerischen Feldern tätige Visionär zu Beginn der 1920er Jahre im wahrsten Sinn des Wortes auf die Bühne der Avantgarde. „Das Theater ist tot!", proklamiert Kiesler – nicht ohne vorher dem traditionellen Guckkastentheater elektromechanische Bühnenbilder, die „Raumbühne" und schließlich ein „Universal" oder „Endless Theatre" entgegenzusetzen. Ausgehend vom Theater und der Gestaltung von Ausstellungsräumen entwickelt Kiesler modellhaft sein Konzept einer Architektur, die sich durch einen endlos fließenden Raum definiert und in den „Endless House"-Projekten der 1950er Jahre einen krönenden Abschluss findet.
Das „Endless Theatre", ein sphäroides Bauwerk, das Kiesler 1925 entwirft, wird von einer sich selbst tragenden Schale aus gegossenem Glas umschlossen. Von allen statisch-funktionalen Einschränkungen befreit, kann der Innenraum in einen kontinuierlichen Fluss versetzt werden. Um eine zentral angeordnete Bühne entwickelt sich der Raum aus einem dynamischen Wechselspiel von Rampen, Plattformen und Aufzügen, die sich über alle Stockwerke hinweg spiralförmig verflechten.

'Space Stage', 'Space Theatre', 'City in Space', 'Space Sculptures' – Frederick Kiesler's medium was space. The artist, who was born in Czernowitz in 1890 and died in New York in 1965, was a true visionary, working across the board in all fields of the arts. In the early 1920s he appears on the stage – quite literally – of the avant-garde movement. 'Theatre is dead!', Kiesler proclaimed – but not before challenging the traditional end-stage theatre with mechanized scenery, the 'Space Stage', and finally with a 'Universal' or 'Endless Theatre'. Based on his designs for theatre and exhibition spaces, Kiesler then developed his model of an architecture defined by endless, flowing space, culminating in his 'Endless House' projects in the 1950s.

The 'Endless Theatre', a spheroid building designed by Kiesler in 1925, is encapsulated within a self-supporting shell made of cast glass. Released from all structural and functional constraints, the interior is propelled into a state of continuous flow. Around a central stage, space develops from a dynamic interplay of ramps, platforms, and lifts reaching across all floors in spiralling, interlocking forms.

Plan zum Doppelauditorium für das Endless Theatre | *Plan of the Dual Auditorium for the Endless Theatre,* 1925
Historische Reproduktion | historical print
17,4 × 16,9 cm
Leihgabe der Österreichischen Friedrich und Lillian Kiesler Privatstiftung Wien |
loan from the Austrian Frederick and Lillian Kiesler Private Foundation, Vienna

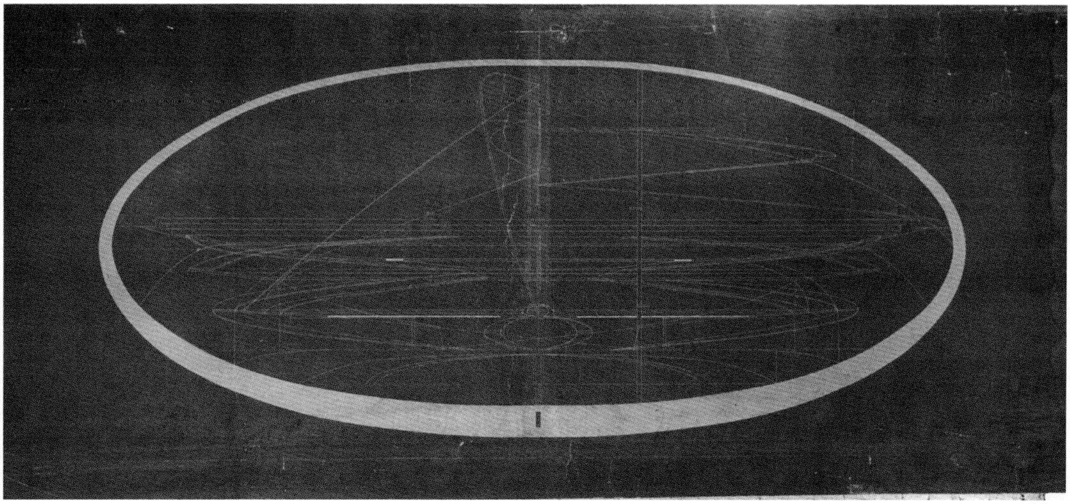

Endless Theatre (Längsschnitt) | Endless Theatre (longitudinal section), 1925
Historische Reproduktion | historical print
25,2 × 50,8 cm
Leihgabe der Österreichischen Friedrich und Lillian Kiesler Privatstiftung Wien |
loan from the Austrian Frederick and Lillian Kiesler Private Foundation, Vienna

Astrid SODOMKA

*1961 in Wien, lebt in Wien | in Vienna, lives in Vienna

Damals dort vielleicht hier | Then There Perhaps Here, 2009
Mixed media
Verschiedene Größen | different sizes
Inv. Nr.: 85/2010

Markus Schön

Es gibt zumeist zu wenig davon: Raum zum Aufbewahren, Verstauen, Sammeln. In unserer vom Konsum geprägten westlichen Welt sind wir es gewohnt, neue Dinge zu erwerben und Altes sprichwörtlich ad acta zu legen. Letzteres wird zum Andenken oder Erinnerungsstück und als solches – zumindest zeitweise – hervorgeholt und mit sentimentaler Zuwendung betraut.
Auch die Künstlerin Astrid Sodomka ist Sammlerin, ihre Sammelleidenschaft ist allerdings an ein grundlegendes künstlerisches Konzept gebunden.
„Damals dort vielleicht hier" zeigt eine Zusammenstellung unterschiedlich großer Boxen. In ihnen hat die Künstlerin Fotografien und diverse Gegenstände zu einer Rauminstallation im Kleinen arrangiert. Diese sogenannten „Pathosschaukästen" dienen als Bühnenraum, in dem beobachtete, erinnerte oder auch gänzlich frei erfundene Situationen inszeniert und zugleich konserviert werden. Sichtfenster liefern die Möglichkeit, in diese künstlichen Welten Einblick zu nehmen – als künstlerische Dekoration können sie sowohl Teil des großen Raumgefüges als auch dessen partielle Wiederholung in Form einer Miniaturausgabe sein. Großes im Kleinen, das möglicherweise hier, aber auch dort – wenn überhaupt – stattgefunden haben könnte.

There is never enough of it: space – in which to store, archive, and collect. In our consumerist Western world, we are accustomed to buying new things and casting the old aside. These old things become a keepsake or souvenir, to be brought out occasionally for their sentimental value.
The artist Astrid Sodomka is a collector, too, but her collecting passion is tied up with a fundamental artistic concept. *Then There Perhaps Here* is a compilation of different-sized boxes. Inside them the artist has arranged various photographs and objects to produce a miniature installation. These so-called 'Pathos Showcases' serve as a stage on which observed, recalled or entirely fabricated situations are orchestrated and simultaneously conserved. Windows offer a glimpse into these artificial worlds – as artistic decoration they could be both part of the overall spatial structure as well as its partial replication in miniature. Large scenes on a small scale, which could possibly have taken place here, or perhaps there – if indeed they happened at all.

LEBST
vielleicht
hier
gut,
gut
gut
ier

Heinz GAPPMAYR

*1925 – †2010, Innsbruck/AUT

horizont | horizon, 2002
Offsetdruck auf Papier | offset print on paper
je | each 29,6 × 21 cm
Inv. Nr.: 11172
Schenkung | donation Galerie Lindner

Franz Thalmair

Neben der Kategorie „Zeit", die unsere Welt grundlegend strukturiert und kollektiv wahrnehmbar macht, interessiert sich Heinz Gappmayr für den Begriff „Raum" – für seine unterschiedlichen Funktionen, seine formale Beschaffenheit, die Art und Weise, wie er wahrgenommen wird, und vor allem für jene Phänomene, bei denen Raum nur noch schwer (in sprachliche Begriffe) zu fassen ist und sich zusehends auflöst. In der 20-teiligen Serie „horizont" setzt sich der Künstler mit einer besonderen Form des Raums auseinander, die nicht als Volumen in Erscheinung tritt. Beim Horizont handelt es sich um eine unendliche Linie, es ist die Grenzlinie, die der menschliche Blick zwischen der Erde und dem Himmel ausmacht und die entsprechend den örtlichen Voraussetzungen ihre Gestalt ändern und als facettenreiche Landschaft in Erscheinung treten kann. „alles zugleich", „von nichts zu etwas" oder „aus der ferne" steht auf drei losen Blättern, auf denen Gappmayr sich der Idee des Horizonts in Form von Zeichnungen, Wörtern und Wortanordnungen sowie typografischen und grafischen Experimenten widmet. „aus der ferne" bringt die Gewissheit auf den Punkt, dass es stets unmöglich bleiben wird, die Grenze zwischen Raum und Nicht-Raum zu betreten. Der Horizont bleibt in der Ferne.

In addition to the category of 'time', which fundamentally structures our world and makes it collectively perceivable, Heinz Gappmayr is interested in the concept of 'space' – its different functions, its formal composition, the way in which it is perceived, and, above all, situations where space is difficult to capture (in language) and dissolves before our eyes. In the twenty-part series *horizont,* the artist explores a particular form of space, which does not appear in three-dimensional form. A horizon is an infinite line, a boundary between the earth and the sky perceived by the human eye, morphing as local conditions dictate and emerging as a widely varied landscape.
The sentence fragments 'alles zugleich' (everything at once), 'von nichts zu etwas' (from nothing to something), and 'aus der ferne' (from the distance) are written on three loose sheets of paper, on which Gappmayr addresses the concept of the horizon in the form of drawings, words, and word combinations, as well as typographic and graphic experiments. 'aus der ferne' (from the distance) clearly conveys the certainty that it will always be impossible to cross the boundary between space and non-space. The horizon remains in the distance.

von nichts zu etwas

die grösste entfernung
zwischen zwei gegenständen

. . . .

dieser punkt

alles zugleich

Heinz GAPPMAYR

*1925 – †2010, Innsbruck/AUT

echo, 2003
Offsetdruck auf Papier | offset print on paper
je | each 29,6×21cm
Inv. Nr.: 11173
Schenkung | donation Galerie Lindner

Franz Thalmair

Als Phänomen existiert das Echo nur, wenn eine besondere räumliche Situation die Reflexion von Schallwellen verzögert und für Menschen zu einem separaten akustischen Erlebnis werden lässt. In der 20-teiligen Serie „echo" spürt Heinz Gappmayr der Vielschichtigkeit eines auditiven Ereignisses nach, das mit zahlreichen Synonymen beschreiben werden kann: Nachhall, Nachklang, Resonanz, Rückschall, Rückwirkung, Widerklang, Widerschall, Wiederholung, Erinnerung. Die beiden sich gegenüberliegenden Seiten eines Ortes, die erforderlich sind, um ein Echo hervorzurufen, den Zwischenraum, den immaterieller Schall passiert, wenn er auf seinem Weg ins Nichts auf Materie prallt und wieder zurück zum Ursprung kehrt, visualisiert der Künstler in Form von Zeichnungen, Wörtern und Wortanordnungen sowie typografischen und grafischen Experimenten. An den Schnittstellen zwischen Sprache und bildreicher Kunst widmet sich Gappmayr dem Phänomen: „echo" steht in serifenloser Schrift auf einem losen Blatt Papier und wurde als zum Bild gewordenes Wort zwischen Anführungszeichen gesetzt, „echo" steht als Idee zwischen den Zeichen, das Echo erstreckt sich von einem Ort zu einem anderen und wieder zurück.

An echo exists as a phenomenon only when a particular spatial situation delays the reflection of sound waves and transforms these into a separate acoustic experience. In the twenty-part series *echo,* Heinz Gappmayr traces the many layers of this auditory experience, which can be described by numerous synonyms: reverberation, rebound, resonance, repercussion, repetition, reiteration, feedback, memory. The two opposite sides that are needed to create an echo, the intervening space traversed by the immaterial sound when, on its way to nowhere, it collides with matter and rebounds back to where it came from – the artist visualizes these by means of drawings, words, and word combinations, as well as typographic and graphic experiments. On the interfaces between language and image-based art, Gappmayr explores the phenomenon itself: 'echo' is written in a sans-serif font on a loose sheet of paper. As a word turned image it has been placed between quotation marks – „echo". A notion sandwiched between the marks, the echo reaches from one place to another and back again.

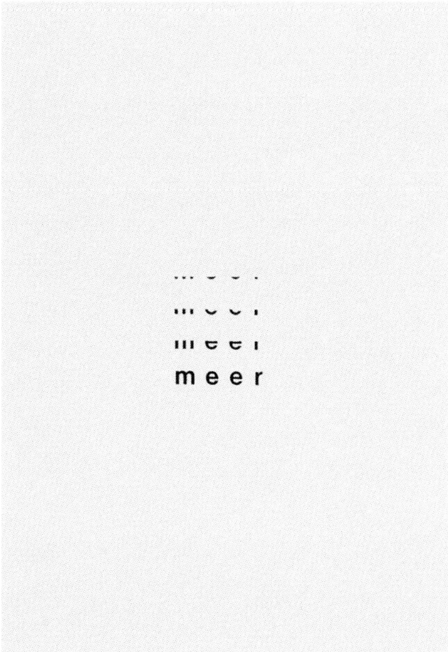
meer

raum

1 11 1 11 11 111 1 11 11 1

Bernhard LEITNER

*1938 in Feldkirch/AUT, lebt in Wien | lives in Vienna

Ton-Schirm | *Sound Umbrella,* 1990
Regenschirm und Lautsprecher | umbrella and loudspeakers
105×130×130 cm
Inv. Nr.: 127/1998

Markus Schön

Es gibt ihn in den unterschiedlichsten Farben und Materialien. Er dient als Schutz vor Nässe und Sonne und – symbolisch – als Maßnahmenpaket innerhalb der Eurozone. Die Rede ist vom Schirm. Die sprichwörtliche „Abschirmung" führt zu einer räumlichen Endlichkeit, kann aber auch – wie in der Klanginstallation von Bernhard Leitner – Raum für verstärkte oder sogar erweiterte Sinneserfahrung geben.
In einem 16-segmentigen schwarzen Regenschirm sind acht sogenannte Hochtöner eingenäht. Diese Lautsprecher sind durch ihre kleine und relativ starre Membran dazu geeignet, die oberen Töne des hörbaren Spektrums kräftig und unverzerrt wiederzugeben.
„Durch verschiedene Winkelkombinationen solcher Klangprojektionen [...] entsteht ein Ton-Raum aus kurzen, an ganz verschiedenen Orten im Kuppelraum des Schirmes auftauchenden Tönen. Die Töne sind lang verhallt, wodurch sich der Maßstab des Schirmes zu einer weiten Kuppel entgrenzt."[1]
Der Schirm wird Teil einer Klanginstallation, welche die Bedingung einer Möglichkeit darstellt. Diese Möglichkeit ist das Hören – und mit ihm die Erfahrung, Klangraum zu erleben, ja Teil dieses Klangraumgefüges zu werden: abgeschirmt und doch grenzenlos.

1 Leitner, Bernhard: Online im Internet: URL: http://www.bernhardleitner.com/videos [Stand 2012-04-08]

They come in all sorts of colours and materials. They are used to protect us from rain and sun, and the word is also used symbolically, for example for a coordinating and unifying organization. The word is umbrella. Umbrellas shield and screen, thus curtailing space, yet they can also make room for an intensified, or even extended, sensory experience, as in this sound installation by Bernhard Leitner.
Eight tweeters (high-frequency loudspeakers) have been sewn into a black sixteen-section umbrella. These loudspeakers have a small and fairly rigid membrane and can thus produce strong and undistorted top notes in the auditory range.
'The combination of different angles in these sound projections ... produces a *Ton-Raum* (sonic space) of short tones emanating in quite different spots in the umbrella cupola. The sounds re-echo and linger, which distends the umbrella's dimensions into an expansive dome.'[1]
The umbrella becomes part of a sound installation that presents an opportunity. This is the opportunity to listen – and thus to experience sonic space, indeed to become part of this sonic space constellation: shielded and yet boundless.

1 Bernhard Leitner [website], <http://www.bernhardleitner.com/videos>, accessed 30 April 2012.

Götz BURY

*1960 in Hamburg/GER, lebt in Wien | lives in Vienna

Mund | Mouth, 1996
Stahlblech verzinkt | galvanized sheet steel
105×130×53 cm
Inv. Nr.: 12009
Schenkung des Künstlers | donation of the artist

Markus Schön

Er ist Körperöffnung und dient nicht nur der Nahrungsaufnahme, sondern auch der Atmung und der Erzeugung von Sprache: der Mund.
Im gleichnamigen Objekt sind wir an niedrige Lebensformen erinnert. Mit seinem großen Schlund und der bauchigen Gestalt gleicht es einem Vasenschwamm. Es gibt über 7.500 Arten von Schwämmen unterschiedlichster Größe und Form, die meisten leben im Salzwasser und ernähren sich durch Filtration. Wir Menschen ernähren uns über den Mund – und er ist bestimmende Mitte in Götz Burys Objekt. Aus Stahlblech geformt, erscheinen seine wulstigen Ränder verhärtet und haben nichts mehr von der Weichheit zarter Lippen – Letztere oftmals Objekt sinnlicher Begierden. Die breite Öffnung, als Rundung geformt und doch erstarrt, erscheint als Gefäßrand oder Krater eines dahinter liegenden Hohlraums, gleich einer Höhle, in deren verborgenes System wir blicken möchten. Was verbirgt sich dahinter? Wie weit können wir das Innere erkennen?

It is the body orifice used to admit food, to breathe and to emit language: the mouth.

This object of the same name recalls simple life forms. With its gaping opening and bulbous form it resembles a barrel sponge. There are over 7,500 varieties of sponge in different shapes and sizes; most inhabit salt water and feed by filtration. We humans feed ourselves through our mouths – and this is the defining centre of Götz Bury's object. Modelled out of galvanized sheet steel, its bulging rim seems hardened and bears no resemblance to the softness of tender lips, so often an object of sensual desire. The broad aperture, rounded and yet ossified, seems like the rim of a vessel or crater, making us want to look into the hidden world of the hollow, the cavernous space behind. What could be concealed inside? To what extent can we identify what lies within?

Richard KÜNZ

*1945 in Wien, lebt in Engabrunn/AUT | in Vienna, lives in Engabrunn/AUT

Windstapel | Wind Stack, 1989
Schubkarre und Ziegel | wheelbarrow and bricks
200×147×66 cm
Inv. Nr.: 45/2008

Johannes Karel

Das scheinbar alltägliche Bild auf einer Baustelle, ein Schubkarren mit Ziegeln, wird von Richard Künz durch strikt vertikale Stapelung der Tonquader in ein surreales Gebilde transformiert. Die eigentliche Funktion des Arbeitsgeräts, normierte Baustoffe in großer Zahl zu transportieren, um Lebensraum für die Menschen zu schaffen, wird dadurch zum beinahe unmöglich zu vollziehenden Balanceakt, der Vorgang des Errichtens von Raum zum Stillstand gezwungen.

Die Erfindung des Ziegels, dessen älteste Beispiele aus dem achten vorchristlichen Jahrtausend stammen, brachte der Menschheit eine hocheffiziente Möglichkeit der Gestaltung ihrer Umwelt. Wohn- und Sakralräume, Repräsentations- und Wehranlagen erschufen definierten Agitationsrahmen für private und öffentliche Lebensbereiche.

Richard Künz zeigt diesen Ursprung auf. Zugleich verweist das fragile Equilibrium des Objekts auf den schmalen Grat der Empfindung zwischen wohligem Schutz und beengender Geschlossenheit eines Raumes. Deutlich wird ebenso die Endlichkeit stetig steigender Akkumulation auf derart labiler Basis, wo ein flüchtiger Moment, ein Windhauch, den Fall auslösen kann, und damit sowohl Hybris als auch Vanitas vergegenwärtigt.

A seemingly everyday scene from a building site – a wheelbarrow with bricks – has been transformed into a surreal structure of blocks stacked in a strict vertical. The actual function of the tool – transporting large quantities of standard building materials to create living space for people – becomes a virtually impossible balancing act, forcing the creation of space to grind to a halt.

The invention of the brick, which can be traced back to the eighth millennium BC, provided humanity with a highly efficient way of shaping our surroundings. Spaces in which to live and worship, places intended for pomp and display or defence created clearly defined areas in which people could lead their private and public lives.

Richard Künz highlights these origins. At the same time, the object's fragile equilibrium alludes to the fine line between the sense of secure shelter and claustrophobic constriction a space can create. Furthermore, it clearly conveys the finite nature of ever-increasing accumulation on such instable foundations, where a fleeting moment, the slightest breeze, could cause the stack to tumble. It thus conjures up concepts of hubris and vanitas.

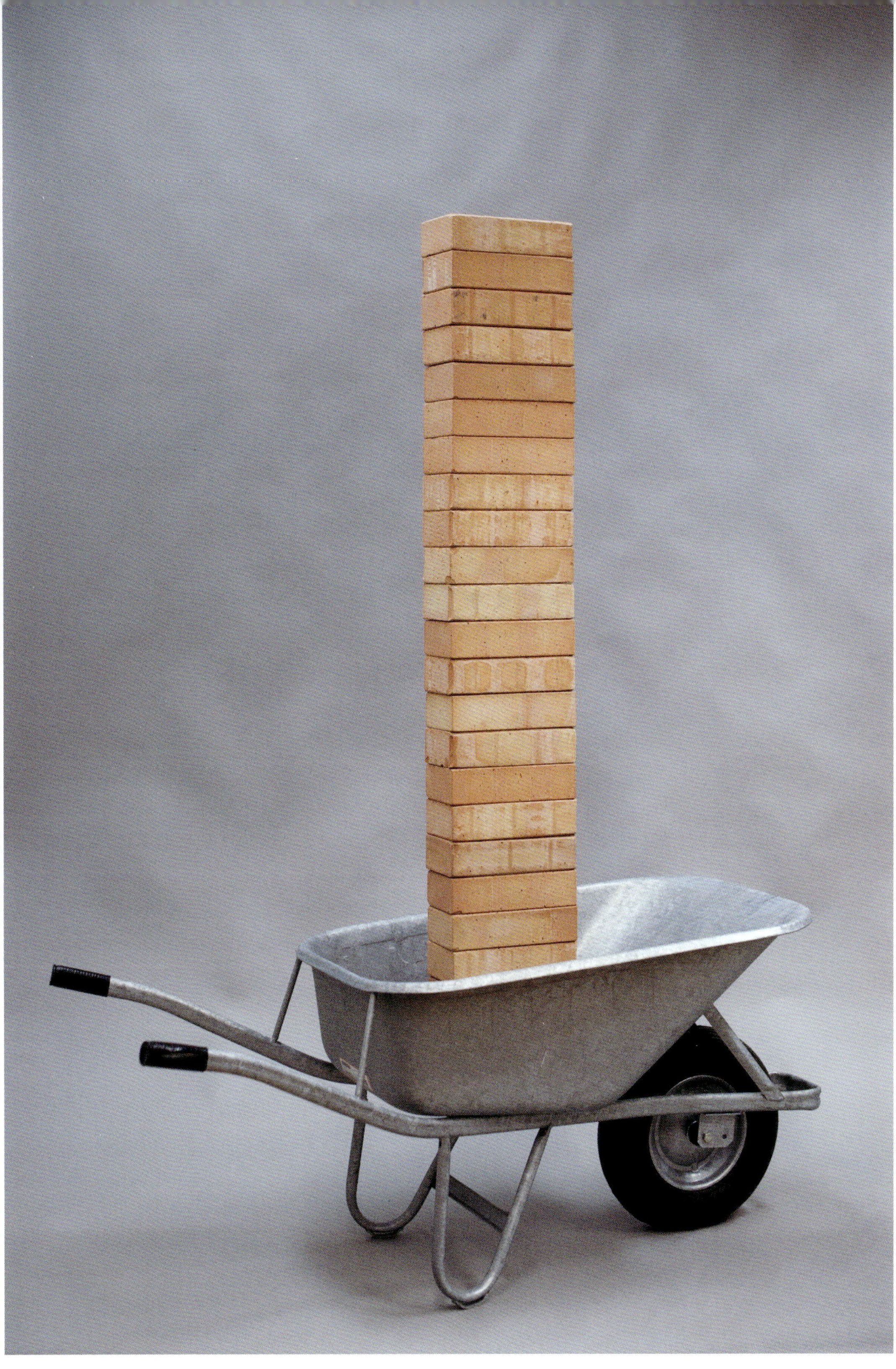

Judith SAUPPER

*1975 in Feldkirch/AUT, lebt in Wien | lives in Vienna

Der Letzte löscht das Licht | Last One Out Should Turn Off the Light, 2008
Mixed media
173 x 74 x 40 cm
Inv. Nr.: 100/2009

Alexandra Matzner

In ihren Miniaturarchitekturen thematisiert Judith Saupper gesellschaftliche Phänomene der Verstädterung. Die Künstlerin fügt in dem Objekt „Der Letzte löscht das Licht" eine Unzahl von stilistisch heterogenen Wohnkuben aneinander. Die akribisch gesetzten Details steigern die Absurdität dieser Architekturfantasie zusätzlich. So baut Saupper einen Parkplatz neben die oberste Etage, lässt die Feuerleiter im Nichts enden und pflanzt einen Richtbaum als Symbol für eine erfolgreiche Erweiterung des Baus auf dessen First. Das ungebremste und offenbar auch ungesteuerte Wuchern der Architektur spiegelt nicht nur die unterschiedlichsten Lebenskonzepte der HausbewohnerInnen deutlich wider, sondern hinterfragt auf ironische Weise die postmodernen Lebensverhältnisse. Mit dem Turmbau zu Babel greift Saupper auf das traditionelle Symbol für Hybris und Scheitern zurück, die Sprach- und Beziehungslosigkeit der BewohnerInnen wird in der Unterschiedlichkeit ihrer Behausungen ausgedrückt. Wenn dann aus der einst aufstrebenden Metropole durch Abwanderung von Industrie und Arbeitskräften eine Nekropole wird, ja dann löscht der Letzte das Licht.

With her miniature architecture, Judith Saupper addresses the social phenomena of urbanization. In the object *Last One Out Turns Off the Lights* she combines a plethora of stylistically dissimilar building blocks. Painstaking detail adds to the absurdity of this architectural fantasia. A car park has been added next to the top floor; a fire-escape ladder leads into nowhere, and a topping-out tree perches on top to symbolize the building's successful extension. The unchecked and apparently uncontrolled expansion of this architecture not only echoes the disparate lifestyles of its inhabitants but also ironically questions post-modern living conditions. Saupper is harking back to the Tower of Babel, the traditional symbol of hubris and failure. The lack of communication and human relationships between its inhabitants finds expression in the disparity of their dwellings. If, through migration of industry and workers, the once up-and-coming metropolis becomes a necropolis then the last one out should indeed turn off the lights.

Peter BRAUNSTEINER

*1946 in Gmünd/AUT, lebt in Wien | lives in Vienna

49 himmlische Trafostationen | 49 Heavenly Transformer Stations, 1997
Farbfotocollage, Acryl und Papier auf Holz | collage of colour photographs, acrylic and paper on wood
102 x 49,5 x 3,5 cm (geschlossen | closed)
102 x 97,7 x 1,7 cm (geöffnet | open)
Inv. Nr.: 28/1999

Markus Schön

126 Farbcollagen, 49 unterschiedliche Bildstöcke und Marterln – zumeist mehrmals und aus unterschiedlichen Blickrichtungen fotografiert. Es sind Momentaufnahmen religiöser Kleindenkmäler, die jedes für sich Individualität besitzen und an eine Jahrhunderte zurückreichende Entstehungsgeschichte gekoppelt sind.
Wir finden sie an Wegkreuzungen, Straßenrändern oder bei Baumgruppen. Sie sind „landmarks", Teil der mitteleuropäischen Kulturlandschaft, einer Region, deren Geschichte eng mit konfessionell motivierten Konflikten verknüpft ist. Religiosität und Frömmigkeit der betroffenen Menschen führten zur Errichtung solcher, wie Peter Braunsteiner sie nennt, „Trafostationen". Doch welche Form der Energie wird hier transformiert?
„49 himmlische Trafostationen" ist eine visuelle Aneinanderreihung architektonischer Gehäuse, die für den Gläubigen etwas Übersinnliches „sinnlich", das heißt greifbar, real, erfahrbar werden lassen. Kleindenkmäler werden zu Callcenter, mit deren Hilfe der religiös motivierte Mensch den Versuch unternimmt, „raumübergreifend" Kontakt zu einer transzendenten Schöpfernatur (Gott) aufzunehmen. Die Form des Triptychons unterstreicht den religiösen Charakter, scheint Energien zu bündeln – Energie aus Transformatoren, die mit herkömmlichen physikalischen Messgeräten nicht fassbar ist.

126 colour collages, 49 different wayside shrines and crosses – most of them photographed several times from different angles. They are snapshots of small religious monuments, each with its own individual traits and a history that stretches back centuries.
We find these shrines at crossroads, on waysides or near groups of trees. They are landmarks that contribute to the cultural landscapes of Central Europe, a region with a history closely linked to religious conflict. These landmarks are an expression of the religious feeling and piety of the people concerned, a special kind of 'transformer station', as Peter Braunsteiner has dubbed them. But what form of energy do they transform?
49 Heavenly Transformer Stations is a visual succession of architectural 'vehicles', which for the religious person bring something transcendental to earth, making it real and tangible. Small monuments become like a 'call box' where the religious person tries to transcend space and make contact with a higher creative force (God). The triptych structure underlines this religious character and seems to concentrate energies – transformed energy that cannot be captured by conventional measuring devices.

VALIE EXPORT

*1940 in Linz/AUT, lebt in Wien | lives in Vienna

Kontext – Variationen: Zustandsveränderungen – Bedeutungsveränderungen |
Context – Variations: Changes in Condition – Changes in Meaning, 1971
Schwarzweißfoto | black-and-white photograph
12 x 17,7 cm
Inv. Nr.: 7/2003

Franz Thalmair

Versteht man den Begriff „Kontext" in seiner engsten Definition als jene Bestandteile, die ein gerade betrachtetes Wort innerhalb eines sprachlichen Gefüges umgeben, wird offensichtlich, dass es sich dabei – auch – um ein räumliches Phänomen handeln muss: Es geht um das Vorher und Nachher und vor allem um die Beziehungen, die sich zwischen den sprachlichen Zeichen ergeben. Fasst man den Begriff „Kontext" weiter und überträgt ihn auf außersprachliche, situative, kommunikative und soziale Phänomene, erschließt sich VALIE EXPORTs Performance „Kontext – Variationen: Zustandsveränderungen – Bedeutungsveränderungen" als Eingriff in gesellschaftliche Zusammenhänge. Unbeachtete Steine dienen der Künstlerin dazu, das menschliche Dasein als eingebettet in ein Netz aus Handlungen und Beziehungen zu zeigen. Der Transfer der Objekte von ihrem ursprünglichen Ort, einer Wiese, in das Feld der Kunst sowie ihre Markierung durch Farbe veranschaulichen die Bedeutungs- und Zustandsveränderungen, die an den Wechsel geknüpft sind. Offensichtlich wird auch, dass der Begriff „Kontext" nicht nur der einfachen Formel „Welt minus Text" folgt, sondern dass Text und Kontext, Sachverhalt und Zusammenhang untrennbar miteinander verbunden sind.

If one understands the term 'context' in its narrowest sense, as the parts surrounding a word under consideration within the wider framework of language, it becomes apparent that this must – also – be a spatial phenomenon. It relates to the before and after and especially the relationships that emerge between the linguistic signs. If the term 'context' is considered in a wider sense to encompass non-linguistic, situational, communicative, and social phenomena, then VALIE EXPORT's performance piece *Context – Variations: Changes in Condition – Changes in Meaning* can be understood as an intervention into social constructs. The artist uses ordinary stones to show human existence as being embedded in a network of actions and relationships. Transferring the objects from their original location, a meadow, into the field of art, and marking them with colour illustrates the changes in meaning and condition entailed by this move. It also becomes apparent that the term 'context' does not just follow the basic equation 'world minus text', but that text and context, fact and construct are all inextricably linked.

Peter KÖLLERER

*1970 in Linz/AUT, lebt in Wien | lives in Vienna

Gewista Inside-Out 2003, 2003
Lambda Prints auf Aluminium | Lambda prints on aluminium
je | each 56×70 cm
Inv. Nr.: 153/2003

Birgit Rinagl

Großflächige Werbetafeln, die weithin sichtbar sind und unweigerlich die Aufmerksamkeit der PassantInnen auf sich ziehen, prägen das öffentliche Stadtbild. Peter Köllerer geht in „Gewista Inside-Out" der Funktion dieser Werbeflächen nach. Der Fokus seines Interesses gilt jedoch nicht den Botschaften, die auf der Vorderseite zu sehen sind, sondern dem, was verborgen hinter den Tafeln liegt.
Stillgelegte Industriebauten entlang urbaner Randbezirke fungieren oftmals als Träger konsumorientierter Information. Wo bunt leuchtende Reklame den KonsumentInnen Gesundheit, Erfolg und Glück verspricht, werden dem Verfall preisgegebene architektonische Bauten dem Blick der Öffentlichkeit bewusst entzogen. Für einen Augenblick lang legt Peter Köllerer das Verborgene offen, macht Unsichtbares sichtbar und rückt die Gegenwelt jener Zeichen, die auf der Vorderseite prangen, ins Zentrum der Interpretation. Historische, normative und soziale Strukturen werden anhand der städtebaulichen Elemente hinsichtlich ihrer Doppelbödigkeit hinterfragt, das architektonische Gefüge wird in seiner Verfallserscheinung veranschaulicht und das Eintauchen in den verborgenen Mikrokosmos ermöglicht.

Large-scale billboards, visible from afar and visual magnets for passers-by, shape the public cityscape. In *Gewista Inside-Out*, Peter Köllerer traces the function of these advertising surfaces. Yet his focus of interest are not the messages on the front, but what is concealed behind them. Derelict industrial buildings on the urban fringes often function as bearers of consumer-oriented information. While the colourful, dazzling adverts promise consumers health, success, and happiness, the decaying architecture is deliberately concealed from public view.
For just one moment, Peter Köllerer opens up these hidden spaces, makes the invisible visible, and places the flip-side of the symbols that are splashed across the front at the heart of his interpretation. The dual meanings of historical, normative, and social structures are questioned on the basis of these urban fragments, the architectural structure is revealed in its state of dilapidation, so we can immerse ourselves in this hidden microcosm.

Walter NIEDERMAYR

*1952 in Bozen/ITA, lebt in Bozen | in Bolzano/ITA, lives in Bolzano

Aus der Serie *„Raumfolgen 12/2001"* | from the series *Room Con/sequences 12/2001,* 2001
Farbfotos auf Aluminium | colour photographs on aluminium
je | each 54 x 68 cm
Inv. Nr.: 186/2001

Alexandra Matzner

Der für seine Alpenbilder bekannte Südtiroler Fotograf Walter Niedermayr macht seit 1991 die Räume von Krankenhäusern zum Gegenstand visueller Erfahrung. Die Fotografien von Gängen, Wartesälen, Operationsräumen und Prosekturen weisen keine konkreten Ortsbezeichnungen auf. Die Helligkeit der Abzüge, die durch Unterbelichtung bei der Positiv-Ausarbeitung entsteht, lässt die Einblicke flach wirken und verstärkt die Nivellierung der Raumgestaltung. Der Titel der Serie, „Raumfolgen 12/2001", spielt auf die faktische Abfolge von Räumen und – auf der Metaebene – auf die Auswirkungen von Räumen auf Menschen an. Die meist wenig anheimelnde Atmosphäre in Krankenhäusern ist nicht nur der Funktionalität der Räume geschuldet, sondern speist sich auch aus der Verdrängung von Krankheit, Sterben und Tod in der westlichen Gesellschaft. Die Leere der Gänge und Räume konfrontiert uns mit der Abwesenheit von Menschen und damit metaphorisch mit unserer Vergänglichkeit. Im Bezug auf Raum ist interessant, dass Niedermayr das Projekt mit dem Ergehen der Räume startete. Nur wenn der Raum als Medium und Resultat erfahrener und vollzogener Bewegungen und somit in seiner Zeitlichkeit beschrieben wird, kann er begriffen werden.[1]

1 Niklas Luhmann verwies in seiner formalen Bestimmung des Raumes auf die Differenz von Stellen und Objekten, und zwar so, dass der Raum es seiner Form nach „möglich [macht], dass Objekte ihre Stellen verlassen". Niklas Luhmann: Die Kunst der Gesellschaft, Frankfurt am Main 1995, S. 181.

Since 1991, the South Tyrolean photographer Walter Niedermayr, best known for his Alpine images, explores the visual experience of hospital spaces. Photographs of corridors, waiting rooms, operating theatres and pathology departments offer no clear indication of place. The brightness of the prints, a result of underexposure in developing the positives, flattens the views and accentuates the homogenous design. The title of the series, *Room Con/sequences 12/2001,* plays with the idea of a literal sequence of rooms and – at a meta level – how these rooms affect people. The atmosphere in hospitals is usually anything but homely – a consequence not only of the rooms' functional character but also of how Western society represses sickness, dying, and death. Empty corridors and rooms force us to face the absence of people and, metaphorically speaking, our own mortality. Regarding space, it is interesting that Niedermayr started off the project by walking through the rooms. To fully understand space, it has to be described as a medium and a result of physically experienced movement, and therefore within the context of time.[1]

1 In his formal definition of space Niklas Luhmann referred to the difference between places and objects, stating that: 'Space makes it possible for objects to leave their places.' Niklas Luhmann, Art as a Social System, trans. by Eva M. Knodt (Stanford CA, 2000), 112.

Ernst CARAMELLE

*1952 in Hall/AUT, lebt in Wien | lives in Vienna

Ohne Titel (wie Josef Albers) | Untitled (like Josef Albers), 1996
Aquarell auf Gesso auf Holz | watercolour and gesso on wood
51,5×48,7cm
Inv. Nr.: 37/1998

Alexandra Matzner

„Die Physiognomie des Raumes in der Reproduktion"[1] ist ein wiederkehrendes Thema in den Arbeiten von Ernst Caramelle. Bereits in den 1980er Jahren hatte sich der Künstler kritisch mit Fragen der Malerei beschäftigt: Wie entsteht Raum in einem Kunstwerk? Welche Rolle spielt dabei die räumliche Installation in der jeweiligen Ausstellungssituation? Bei dem mit Aquarellfarben ausgeführten „Gesso-Piece"[2] bezieht Caramelle sich nicht zum ersten Mal auf das Werk des deutsch-amerikanischen Malers Josef Albers (1888–1976). Caramelle nutzt dessen berühmte Kompositionen „Homage to the Square" als Referenz, um das Changieren des Dargestellten zwischen Zwei- und Dreidimensionalität zu erforschen. Aus den sich rhythmisch verkleinernden Quadraten in Albers' Aquarellen macht Caramelle eine Raumflucht, deren Funktionalität bei genauer Betrachtung ad absurdum geführt wird. Das vorauseilende „Erkennen" des Raumes in der Papierarbeit wird durch die inkongruente farbige Gestaltung von Wänden und Bodenstreifen zu einer ironischen Erkundung im Grenzraum zwischen Abstraktion und Figuration.

1 Ernst Caramelle: Quasi die Physiognomie im Augenblick der Wahrnehmung, Frankfurt am Main 1993.

2 Da Caramelle neben den mit Gesso grundierten und mit Wasserfarben gestalteten kleinformatigen Bildern auch Wände bemalte, haben beide Anwendungen, so der Künstler, nichts mit der traditionellen Aquarellmalerei zu tun. Caramelle nennt beide Techniken daher „Quasi-Malerei(en)" und unterscheidet zwischen „Gesso-Pieces"und „Wandmalerei". Siehe Günter Dankl: Ernst Caramelle, in: Die Sicht der Dinge 4: Zentrum & Peripherie. Malerei zwischen Konzept und Prozeß, Ausst.-Kat. Tiroler Landesmuseum Ferdinandeum, Innsbruck, 7. Februar bis 14. April 1996.

'The physiognomy of space in reproduction'[1] is a subject that recurs in the works of Ernst Caramelle. Ever since the 1980s, the artist has been critically exploring issues about painting: How is space created in a work of art? How is this influenced by the space in which the work is exhibited? In the watercolour 'gesso piece'[2], Caramelle alludes, not for the first time, to the work of the German-American painter Josef Albers (1888–1976). Referring to Albers' famous compositions 'Homage to the Square', Caramelle explores how a subject changes between two- and three-dimensionality. Caramelle transforms the rhythmically shrinking squares in Albers' watercolours into a sequence of rooms that, on closer scrutiny, turns out to be an impossible construct. Incongruous colours of walls and floors convert the hasty 'recognition' of space in this work on paper into an ironic exploration of the boundaries between abstraction and figuration.

1 Ernst Caramelle, Quasi die Physiognomie im Augenblick der Wahrnehmung (Frankfurt am Main, 1993).

2 As Caramelle paints these small-scale, gesso-primed pictures in watercolour and also wall paintings, the artist does not consider either of these techniques to be related to traditional watercolour painting. Caramelle calls both techniques 'quasi-painting(s)' and distinguishes between 'gesso pieces' and 'wall painting'. See Günter Dankl, 'Ernst Caramelle', Die Sicht der Dinge 4: Zentrum & Peripherie: Malerei zwischen Konzept und Prozeß, exh. cat. Tiroler Landesmuseum Ferdinandeum, Innsbruck, 7 February to 14 April 1996.

Lotte LYON

*1970 in Graz/AUT, lebt in Wien | lives in Vienna

Ohne Titel | Untitled, 2005
Holzbeize auf Spanplatte, gewachst | waxed and stained chipboard
360 × 80 × 60 cm
Inv. Nr.: 55/2008

Franz Thalmair

Scheinbar funktionslos, wandelbar und offen ist das raumhohe Objekt, das Lotte Lyon aus handelsüblichen Spanplatten angefertigt hat. Mit seinen regelmäßigen Farbmarkierungen steht es im Ausstellungsraum – ohne dabei auf diese Situation Bezug zu nehmen, jedoch auch ohne sich einen Referenten außerhalb der eigenen Position, außerhalb des Kunstfeldes und als Abbild einer der zahlreichen Lebenswelten zu suchen. Die Skulptur bleibt so lange neutraler (Fremd-)Körper, bis ihr von BetrachterInnen eine Rolle zugeschrieben wird: Was befindet sich im Inneren dieses Objekts? Ist es hohl oder tut sich hinter seinen Wänden belebter Raum auf? Entspricht der imaginierte Innenraum der Strukturiertheit der äußeren Farbfelder? Ist der Zweck des Objekts nicht mehr ersichtlich, weil es aus seinem ursprünglichen Zusammenhang gerissen, weil es deplatziert wurde? Wer hat es aus seinem Kontext entfernt? Kann es sich bei dieser Form um eine Säule gehandelt haben, um den Träger eines Raums? Oder drängt gar das Element eines weiteren Raums aus dem Boden jener Architektur, in der wir uns gerade befinden? Es tun sich zahlreiche Interpretationsräume auf – was auch die grundlegende Funktion von „Ohne Titel" ist.

Seemingly without function, changeable and open to interpretation – this floor-to-ceiling object, with its regular bands of colour, made by Lotte Lyon from off-the-shelf chipboard, stands in the exhibition space without any reference to this situation, or indeed to any situation beyond its own position and the realm of art, where it could be an image of many potential environments. The sculpture continues to be a neutral (foreign) body until the viewer gives it a role: What can be found within this object? Is it hollow or is there inhabited space concealed inside its walls? Does this imagined interior echo the structure of the exterior bands of colour? Can we no longer identify the object's purpose because it has been torn out of its original context and displaced? Who removed it from this context? Considering its form, could it have been a pillar, holding up a room? Or is it an element from another room, bursting through the floor of the architecture where we are currently standing? The object leaves a great deal of room for interpretation – which, of course, is the main function of 'Untitled'.

Eduard TAUSS

*1968 in Vorau/AUT, lebt in Wien | lives in Vienna

Ohne Titel, aus *„Ride On"* | *Untitled,* from *Ride On,* 2003
Polyurethan | polyurethane
35 x 35 cm
Inv. Nr.: 11177
Schenkung | donation Galerie Lindner

Alexandra Matzner

Ein Pfeil auf blauem Grund, quadratisch, in alle vier möglichen Richtungen aufhängbar. In der Ausstellung „zeigt" der Pfeil nach oben und gibt damit sowohl die Richtung für den Aufstieg als auch ein Voranschreiten vor. Das Objekt ist Teil einer Multiple Box, an der sieben Künstlerinnen und Künstler mitgewirkt haben. Eine Gruppenausstellung in der Gallery Sonja Roesch in Houston, Texas, führte sie auf eine spannende Reise nach Marfa, wo Donald Judd (1928–1994) seit den 1970ern lebte. Die gemeinsame Fahrt durch die Wüste und die Begegnung mit dem Werk des amerikanischen Minimalisten sollten für alle von Bedeutung werden, denn die daraufhin entstandene Box trägt den Titel „Ride on". Auch Tauss' Arbeit wurde von der Stimmung des kollektiven Arbeitens beeinflusst, steht sie doch in seinem Werk allein. Der Künstler beschäftigt sich in seinen gegossenen und geformten Objekten aus Kunstharz damit, Farbe und Raum sichtbar zu machen, mit der Materialdynamik und den Folgen der Schwerkraft zu experimentieren. Die Symbolkraft des Multiples als Pfeil thematisiert nicht nur die Ausdehnung der Farbe im Raum, sondern bezieht auch Fragen der Orientierung, des Raumbezugs des Ich und seiner Ortsfindung ein.

An arrow on a blue background. A square picture that can be hung in all four directions. In the exhibition, the arrow 'points' upwards, suggesting an upward trend or forward movement – to 'ride on'. The object is part of a Multiple Box to which seven artists contributed. A group exhibition at Gallery Sonja Roesch in Houston, Texas, resulted in an eventful journey to Marfa, where Donald Judd (1928–1994) had been living since the 1970s. Their trip through the desert and encounter with the work of the American Minimalist artist was an important experience for all involved, and the resulting Box was given the title 'Ride on'. Tauss' work, too, was influenced by this mood of collaboration, as it is unique within his oeuvre. In his cast and formed objects, made of synthetic resin, the artist explores making colour and space visible, experimenting with the dynamics of the material and the effects of gravity. The symbolic power of the multiple as an arrow not only addresses the subject of the expansion of colour in space, but also incorporates issues of orientation, and the position and bearings of the self within space.

Marc MER

*1961 in Innsbruck/AUT, lebt in Münster, Köln/GER und Wien | lives in Münster, Cologne/GER and Vienna

disdance . this dance distance, 2008
Computerprint auf Leinwand | computer print on canvas
je | each 110 × 150 cm
Inv. Nr.: 175/2010

Alexandra Matzner

Nähe und Distanz, ein Tanz, aber immer paarweise, Schwarz auf Weiß und Weiß auf Schwarz! Bereits der Titel von Marc Mers geprinteten Doppelstrichen auf zwei Leinwänden führt zu Fragen über den Raum als Distanz, dem der Tanz im Englischen wie ein Homonym zur Seite gestellt ist. So kann aus „disdance" „this dance" und die Verbindung des Raumes und seiner Wahrnehmung über ein körperliches Abschreiten sowie eine rhythmische Abfolge von Linien verdeutlicht werden. Die weiße Fläche der Leinwand öffnet sich durch den minimalen Eingriff der Künstlerhand in ein Bedeutungsfeld, das so Begriffe wie Raum, Maß, Zeit versinnbildlicht. Obwohl sich die Linien der Bildfläche entlang bewegen und dadurch die Leinwände sich nicht fensterartig in die Tiefe öffnen, entsteht ein flacher Raum. Der Tanz der Linien definiert ihn dabei genauso wie die Distanz zwischen den einzelnen Elementen. Oder wie Marc Mer es selbst erklärt: „distanz dieser tanz / distanz dieser tanz der dinge / raum aus distanz / raum aus distanz der dinge / raum aus tanz der distanz / raum aus tanz der distanz der dinge / raum aus tanz / distanz dieser tanz / distanz dieser tanz der dinge"[1]

1 Zitiert nach: http://www.marcmer.eu/html/disdance_this_dance_distance.html (zuletzt besucht am 20.4.2012).

Closeness and distance, a dance, but always in couplets; black on white and white on black. The title of Marc Mer's printed double lines on two canvases already prompts questions about space as distance, juxtaposed with the word 'dance' like a homonym. Thus 'disdance' can become 'this dance' and the connection of space and its perception can be clarified by a rhythmic sequence of lines and by physically walking along it. On the white surface of the canvas, the minimal intervention of the artist's hand opens up a field of meaning, representing concepts like space, dimension, time. Although the lines move along the picture's surface, and consequently the canvases do not open like windows into a spatial depth, a flat space is created. It is defined by the dance of the lines as much as by the distance between the separate elements.
Or in the words of Marc Mer: 'distanz dieser tanz / distanz dieser tanz der dinge / raum aus distanz / raum aus distanz der dinge / raum aus tanz der distanz / raum aus tanz der distanz der dinge / raum aus tanz / distanz dieser tanz / distanz dieser tanz der dinge'[1]
['disdance this dance / disdance this dance of things / space from disdance / space from disdance of things / space from the dance of distance / space from dance of the distance of things / space from dance / disdance this dance / disdance this dance of things']

1 Cited from: <http://www.marcmer.eu/html/disdance_this_dance_distance.html>, accessed 20 April 2012.

Marc Mer

*1961 in Innsbruck/AUT, lebt in Münster, Köln/GER und Wien | lives in Münster, Cologne/GER and Vienna

raumwolle |. *spacewool*, 2007
Wolle, Zement | wool, cement
600×12×12 cm
Leihgabe des Künstlers | loan of the artist

Alexandra Matzner

Das veränderte Verhältnis von Linie und Raum gilt in der aktuellen Literatur über das Zeichnen als eines der deutlichsten Indizien für den Wandel, den die Zeichnung in den vergangenen 50 Jahren vollzogen hat.[1] Die Linie als das Ausdrucksmittel der Zweidimensionalität, mit dem Jahrhunderte lang Dreidimensionalität auf planem Papier suggeriert wurde, hat sich seit den 1960er Jahren zu einem Verfahren des Raumerschließens gewandelt. Marc Mer schreitet mit „raumwolle" erneut das spannungsreiche Feld zwischen Skulptur und Zeichnung sowie zwischen mythischem Faden der Ariadne und Raumeroberung ab. Ariadnes wollenes Hilfsgerät versicherte Theseus, den Ausgang des Labyrinths wiederzufinden, also den eroberten Raum zu vermessen und zu beherrschen. Der mit Zement zum Stillstand gebrachte Faden verbindet nun zwei Punkte im Ausstellungsraum und bezeichnet diesen als einen realen. Die Linie steht daher im Dienst des Raumes.

1 Carolin Meister, Ohne Illusionen. Von anderen Räumen der Zeichnung, in: Angela Lammert, Carolin Meister, Jan-Philipp Frühsorge, Andreas Schalhorn (Hg.): Räume der Zeichnung, Nürnberg 2007, S. 170.

In current literature about drawing, the changed relationship between line and space is regarded as one of the clearest indicators of the transformation drawing has undergone over the last fifty years.[1] Line as a two-dimensional expressive device, with which three-dimensionality had been suggested on flat paper for centuries, changed in the 1960s to a means of opening up space. With spacewool Marc Mer again steps into the highly charged field between sculpture and drawing, as well as between Ariadne's mythical ball of string and the conquest of space. Ariadne's 'wool aid' ensured that Theseus could find his way out of the labyrinth, effectively by measuring and commanding the conquered space. In spacewool, the thread is brought to a halt by cement and now links two points in the exhibition space, claiming it as a real space. Line thus enters into the service of space.

1 Carolin Meister, 'Ohne Illusionen. Von anderen Räumen der Zeichnung', in Angela Lammert, Carolin Meister, Jan-Philipp Frühsorge, Andreas Schalhorn (eds.), Räume der Zeichnung (Nuremberg, 2007), 170.

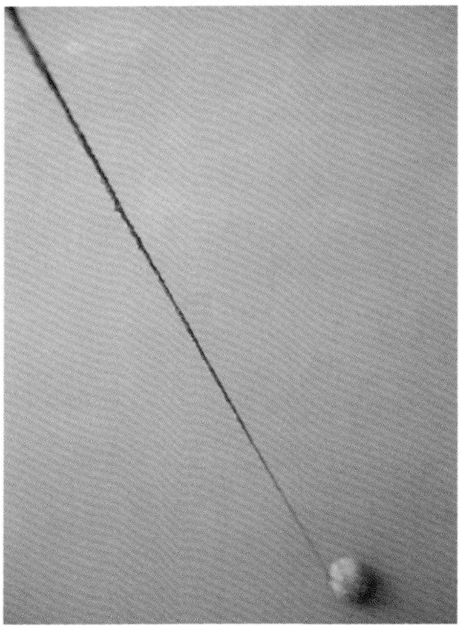

Alexandra BERLINGER

*1970 in Bregenz/AUT, lebt in Wien | lives in Vienna

Spiegelbilder | Mirror Images, 1999
Digitalprints nach Farbfoto auf Aluminium | digital prints from colour photograph on aluminium
je | each 90 × 90 cm
Inv. Nr.: 216/1999

Alexandra Matzner

„Spiegelbilder" zeigt drei Personen aus der Froschperspektive. Die reflektierenden Oberflächen der beiden Bilder lassen an Spiegelungen denken. Spiegelbilder sind, den Überlegungen von Michel Foucault zufolge, irgendwo zwischen Utopie (nicht verwirklichbarer Raum) und Heterotopie (anderer Raum) angesiedelt. Ihr räumliches Verhältnis zur Wirklichkeit lässt sich als „anderer Raum" insofern nicht beschreiben, als diese tatsächlich verwirklichte Utopien sind, „in denen [...] all die anderen realen Orte, die man in der Kultur finden kann, zugleich repräsentiert, in Frage gestellt und ins Gegenteil verkehrt werden." Und: „Diese Orte [sind] völlig anders als all die Orte, die sie spiegeln und von denen sie sprechen."[1] Die undurchdringliche Spiegelfläche wiederholt das Leben „auf der anderen Seite" und weitet den Raum illusionistisch. Der Spiegelraum ist dadurch gleichermaßen betretbar und abgeschlossen. Ist er Lüge, Täuschung, eine Maske, denn diese Welt existiert nur als eine Oberfläche? Oder ist es ein Gegen-Raum, in dem der wahrnehmende Körper sein gespiegeltes Gegenüber im Umraum wahrnehmen kann?

1 Michel Foucault: Von anderen Räumen, in: Michel Foucault.: Schriften in vier Bänden. Dits et Ecrits, Bd. 4, Frankfurt am Main, S. 931–942.

Mirror Images shows three people from a worm's-eye perspective. The mirror-like surfaces of both images are recalling reflections. According to Michel Foucault, mirror images are somewhere between utopia (unreal space) and heterotopia (other space). Their spatial relation with reality cannot really be described as 'other space' inasmuch as they are real existing utopias where 'all the other real sites that can be found within the culture, are simultaneously represented, contested, and inverted.' And 'these places are absolutely different from all the sites that they reflect and speak about '. The impenetrable surface of the mirror echoes life 'on the other side' and gives the illusion of expanded space. A mirror's space is therefore both accessible and sealed off. Is it a lie, deception, a mask, as this world exists purely on the surface? Or is it a counter-space, where perceiving beings can observe their mirrored selves and their environment?

1 Michel Foucault, 'Of Other Spaces', Michel Foucault, info. [website], trans. Jay Miskowiec <http://foucault.info/>, accessed 13 April 2012

Gottfried ECKER

*1963 in Linz/AUT, lebt in Wien | lives in Vienna

Ohne Titel | Untitled, 2001
Öl und Spiegel auf Holz | oil and mirror on wood
145 x 36 x 25 cm
Inv. Nr.: 47/2006

Johannes Karel

Einem vorzeitlichen Zeremonialstab gleich erhebt sich das schlanke Objekt aus dem Boden in den Ausstellungsraum. Auf einem zum Himmel gerichteten Pfeil ist scheinbar fragil eine Art Weltenscheibe mit spiegelnder Oberfläche angebracht, die die BetrachterInnen dazu verleitet, neugierig einen Blick darauf zu werfen – ihr Antlitz in der irrealen Unendlichkeit der Spiegelung des Himmels wahrzunehmen. Die persönliche Interaktion mit dem Werk spricht ein wohl allen innewohnendes narzisstisches Prinzip des Selbsterkennens an – der Mensch in die Unendlichkeit der Himmelsreflexion eingebunden beziehungsweise diese unterbrechend.
Gottfried Eckers Skulptur vereint Installation, reale Architektur und virtuellen Reflexionsraum, wobei die grazile Plastizität des Objekts im Gegensatz zur Weite des imaginären Bildraumes des Spiegels steht.
Eckers Werk hält damit der Flüchtigkeit eines Augenblicks die Stringenz von Raum und Zeit entgegen.

A slender object rises up from the floor into the exhibition space like a prehistoric ceremonial staff. An arrow is pointing skywards to which a kind of world in the shape of a disc is precariously attached, its mirroring surface enticing viewers to take a curious look and see their own image reflected within the unreal infinity of the sky above. This personal interaction with the work speaks to a narcissistic principle of self-recognition that must be common to us all: to see ourselves as part of the infinity of the sky's reflection and at the same time interrupting its endlessness.
Gottfried Ecker's sculpture combines installation, real architecture, and virtual reflected space, while placing the delicate plasticity of the sculpture in contrast to the expanse of the imaginary pictorial space in the mirror. Ecker's work thus juxtaposes the fleeting nature of the moment with the stringency of space and time.

Leslie DE MELO

*1953 in Daressalaam/TAN, lebt in Wien | lives in Vienna

Tänzerin (Nr. 8) | Dancer (No. 8), 1989
Gips | plaster
82×74×38 cm
Inv. Nr.: 24/1990

Alexandra Matzner

Bereits während seines Bildhauerstudiums bei Franz Xaver Ölzant an der Akademie der bildenden Künste in Wien arbeitete Leslie de Melo an der achtteiligen Serie „Tänzerin". Die gewellte Kreuzform lässt an einen auf dem Boden liegenden Menschen mit durchgedrückter Hüfte und ausgestreckten Armen denken. De Melo nutzt die Verbindung von Titel und Form, um das Bild einer Tänzerin zu evozieren. Ihre raumgreifende Bewegung wird im Moment festgehalten und in eine rhythmische Gestalt mit einfacher Kontur umgewandelt. „Alle Räumlichkeit konstituiert sich, kommt zur Gegebenheit in der Bewegung",[1] war sich Edmund Husserl bereits zu Beginn des 20. Jahrhunderts sicher. Dieser zeitliche Vollzugszusammenhang zwischen dem Erkennen des Raumes und einer verzeitlichten Erfahrung ist in de Melos Skulptur nicht nur durch das Objekt selbst gewährleistet, sondern durch das Umschreiten von Skulpturen eine Konstante in der Auseinandersetzung und somit der Perzeption dieser Kunstgattung.

1 Edmund Husserl: Ding und Raum. Vorlesung 1907, in: Karl-Heinz Hahnengress (Hg.): Gesammelte Werke. Husserliana, Bd. 16, Hamburg 1991, S. 262.

Leslie de Melo started working on his eight-part series *Dancer* while studying sculpture at Vienna's Academy of Fine Arts with Franz Xaver Ölzant. The undulating cross shape calls to mind a person lying on the floor, hips thrust upwards and arms outstretched. De Melo uses both the work's German title and its form to evoke the image of a female dancer. Her movement, reaching out into the space around, is frozen in the moment and transfigured into a rhythmic form with a simple outline. 'All spatiality is constituted, is brought to givenness, in movement',[1] Edmund Husserl stated in the early twentieth century. In de Melo's sculpture this temporal relationship between the initial recognition of space and the experience of movement in time constituting space is not only reflected by the object itself, but moving around a sculpture is in fact an inherent part of exploring and perceiving this genre in art.

1 Edmund Husserl, 'Ding und Raum', lecture in 1907, in Jean Petitot et al., Issues in Contemporary Phenomenology and Cognitive Science (Stanford, 1999), 206.

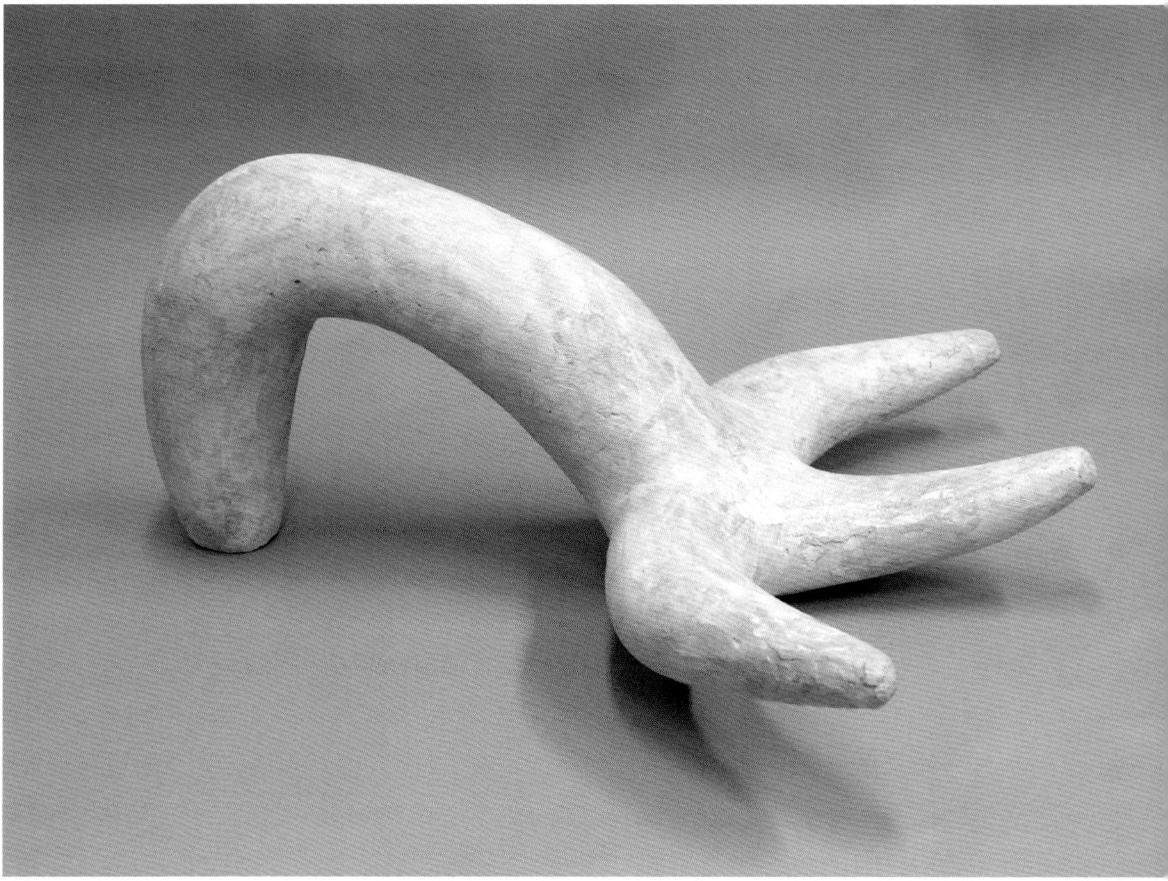

Robert ADRIAN X

*1935 in Toronto/CAN, lebt in Wien | lives in Vienna

red plane, 2005
Acryl auf Papier auf Metall | acrylic on paper on metal
31 × 90 × 105 cm
Inv. Nr.: 64/2006

Berthold Ecker

Ein Flugzeug kracht in die Wand, wer würde da nicht an 9/11 denken? Aber kracht es wirklich oder eigentlich eben doch nicht? Das Objekt ist an die Wand montiert – würde ein Absturz also gerade durch die Trennung von der Fläche, der es verbunden ist, erfolgen?
Die intellektuelle Auseinandersetzung mit Bedeutungsebenen, die unterschiedlichen Funktionsweisen und Abhängigkeiten des Systems „Kunst" durchziehen das Werk von Adrian X von Anbeginn. Immer wieder leuchtet seine subtil ironische Kritik auf. Schon in den 1980er Jahren entstanden erste Flugzeugobjekte, zum Beispiel „Great Moments in Modern Art #2 – Beuys Crashes His Stuka" (1983), das sowohl als großes Bodenobjekt in pathetischer Inszenierung (Neue Galerie Graz) als auch als bildmäßiges Objekt (Western Front Vancouver) realisiert wurde. Letzteres ist parallel zur Fläche mit einem Flügel und dem Fahrwerk an die Wand montiert. So, wie schon zuvor der eigene Künstlervater, wird nun mit Joseph Beuys eine der großen Vaterfiguren der Kunst des 20. Jahrhunderts und sein Absturz mit einem Kampfflugzeug über der Krim zum Motiv. Adrian X untersucht damit den Mythos des Künstlers und seine Inszenierung gegenüber dem großen Publikum. Der in die Künstlerbiografie eingebaute Mythos durchdringt das Feld zwischen Werk, Kontext und Rezeption.

An aeroplane is crashing into a wall – who would not think of 9/11? But is it really crashing, or isn't it, after all? The object is fixed to the wall – would the crash in fact be caused by removing it from the surface to which it is fused? The intellectual grappling with layers of meaning, the different functions and dependencies of the system 'art', have pervaded Adrian X's work from the outset. His subtle, ironic criticism shines through time and again. He first created his aircraft objects back in the 1980s. For example *Great Moments in Modern Art #2 – Beuys Crashes His Stuka* (1983) was realized both as a large floor piece in a dramatically staged presentation (Neue Galerie Graz) and as a pictorial object (Western Front Vancouver). The latter is mounted parallel to the wall, attached by one wing and the undercarriage. After his own artist father, Adrian X now focuses on Joseph Beuys, one of the great father figures in twentieth-century art, and his crash in a bomber aircraft in the Crimea. He examines the myth of Joseph Beuys and his self-styled public image. This myth was incorporated in the artist's biography and permeates the field between work, context, and reception.

Sebastian SCHUBERT

*1980 in Wien, lebt in Wien | in Vienna, lives in Vienna

Nebel | Fog, 2002
Lamdaprints auf Aluminium | Lambda prints on aluminium
je | each 50×125 cm
Inv. Nr.: 3/2004

Alexandra Matzner

Nebel schließt ein wie aus. Die Welt verschwindet aus dem Blickfeld, sie wird eingehüllt in den weich- und gleichmachenden Äther. Das Verwischen von Konturen und Verhüllen von Gegenständen lässt ein Gefühl von Einsamkeit, aber auch Eingeschlossenheit aufsteigen. Nebellandschaften galten vor allem den Symbolisten als Stimmungs-, ja Seelenbilder, denn Ruhe und Stille strömen sie aus. Sebastian Schuberts Landschaftsaufnahmen im gelängten Cinemascopeformat zeigen genau genommen ausschließlich die Aggregatzustände von Wasser in seiner gasförmigen, flüssigen und festen Form als Nebel, Wasser sowie Schnee und Eis. Daher auch die Reduktion der Farben in den Fotografien, gefolgt von einer Verlangsamung des Lebens. Denn im Winter schließt der Nebel die Natur und den Menschen ein. Letzterem kann sich auf diese Weise ein Zugang zu seiner inneren Welt eröffnen, der öffentliche Raum wird ein persönlicher. Oder wie Sebastian Schubert es formulierte: „Alles ist gedämpft; leise knackt das Eis unter den Füßen."[1]

1 Aus einem Statement des Künstlers gegenüber der Autorin am 29.3.2012.

Fog envelops and excludes. The world vanishes from sight and is cloaked in the soft, unifying mist. Blurred outlines and veiled objects evoke a sense of loneliness – of being cocooned. Fog scenes were much loved by the Symbolists as mood landscapes, images of the soul even, for the peace and calm they emanate. In their essence, Sebastian Schubert's landscape photos in elongated, cinemascopic format show little else but water in its gaseous, liquid, and solid states: fog, water, snow, and ice. Consequently, the colours in the photographs are reduced, entailing a slower pace of life. For in winter the fog encloses nature and people. This allows us to turn our gaze within. Public space becomes private. Or, in the artist's own words: 'Everything is muffled; the ice cracks softly underfoot.'[1]

1 From a statement by the artist to the author on 29 March 2012.

Gerold TAGWERKER

*1957 in Lustenau/AUT, lebt in Wien | lives in Vienna

PUK/RG 110-40, 1999
Kabelrinne und Neonröhren | cable tray and neon lights
40×300×11,2cm
Inv. Nr.: 9/2001

Birgit Rinagl

Licht, Struktur und Material sind die zentralen Motive in Gerold Tagwerkers „PUK/RG 110-40". Sie fungieren gemeinhin als Bestandteile zur Aufrechterhaltung von Kontrollsystemen: Das Licht tilgt die Dunkelheit, der geometrisch angeordnete Raster vermittelt Übersicht, das industriell gefertigte Ausgangsmaterial – ein Behältnis aus Aluminium – zeichnet sich durch Funktionalität aus.
Durch ästhetische Intervention gelingt es dem Künstler, die eigentliche Bestimmung genormter Industrieprodukte – Elemente eines Kabelträgersystems – als Hilfskonstrukte eines Ordnungssystems vorzuführen und gleichzeitig auszuhebeln. Die Parameter Funktion, Sachlichkeit und Struktur werden ad absurdum geführt, indem das Objekt – in Referenz auf das „grid" der Minimal Art – auf nichts außer sich selbst verweist.
Verbunden mit der Forderung nach einer Auflösung der Grenzen, nach der Verschmelzung von innen und außen sowie nach dem Ideal der absoluten Transparenz, stellt insbesondere das Licht das wesentliche raumkonstitutive Moment dar: Es evoziert eine Bildräumlichkeit, die Varianten der Raumerfahrung in der ästhetischen Anschauung ermöglicht.

Light, structure, and material are the key motifs in Gerold Tagwerker's *PUK/RG 110-40.* They are commonly used as components to maintain control systems: light eradicates darkness, the geometric grid provides a clear overview, and the industrially manufactured material – an aluminium container – is characterized by functionality.
Through aesthetic intervention, the artist succeeds in revealing and at the same time eliminating the original purpose of standardized industrial products, i.e. elements of a cable-tray system, as assisting constructs in a system to impose order. The parameters of function, objectivity, and structure are exaggerated to the point of absurdity, as the object – in reference to the grid in Minimal Art – alludes to nothing but itself.
In connection with the stipulation to dissolve boundaries, to merge interior and exterior, and to meet the ideal of absolute transparency, light in particular is the fundamental constitutional element of space. Light evokes a pictorial spatiality that enables variations of the spatial experience in aesthetic perception.

Wernar MENTL

*1958 in Wien, lebt in Wien | in Vienna, lives in Vienna

Ohne Titel | Untitled, 1992
Öl auf Holz | oil on wood
48 x 186 cm
Inv. Nr.: 25/1991

Alexandra Matzner

Wernar Mentls großformatiges Bild suggeriert Bewegung, wo keine ist. Auf den ersten Blick wirkt es, als ob es sich um ein hölzernes Gewebe handle; auf den zweiten Blick wird erkennbar, dass der Künstler mit einem Trompe-l'oeil-Effekt die BetrachterInnen täuscht. Das Spiel mit Sein und Schein, der Augentrug, schärft die Sinne und lässt Räume illusionistisch entstehen. Wernar Mentl inszeniert Überlagerungen, verdichtet und verflechtet Farben und Holzlatten zur Raumgestaltung und Raumbeherrschung. Die Raumidee Mentls speist sich einerseits aus der apriorischen Kategorie menschlicher Raumerkenntnis, andererseits aus der subjektiven Wahrnehmung des Werkes über die Sinne. Er stößt Erwartungshaltungen um und irritiert Sehgewohnheiten, um das Verhältnis von Körper und Raum umzukippen und zu verstärken. Die Struktur des abstrakten, vom Raster dominierten Bildes ist von Horizontalen und Vertikalen bestimmt. Die Farbe verstärkt die Illusion des Raumhaften, denn die Vertikalen scheinen in den Vordergrund zu treten und die Querstreben werden automatisch als Hintergrundfolien interpretiert. So evoziert das Bild eine Wellenbewegung und ein Fortschreiben der Diskussion um die Begriffe Raum, Zeit und Bewegung.

Wernar Mentl's large-scale picture suggests movement, where there is none. At first glance, it appears to be a woven timber structure; on closer scrutiny it becomes clear that the artist is tricking the viewer with a trompe l'oeil effect. This play with appearance and reality, the deception of the eye, sharpens the senses and creates illusionary spaces. Wernar Mentl stages overlapping layers, condenses and weaves colours and wooden slats to shape and command space. Mentl's notion of space draws both on the *a priori* category of human spatial awareness and our subjective perception of his work through our senses. He topples expectations and disturbs viewing patterns in order to overturn and intensify the relationship between body and space. The structure of the abstract painting is dominated by a grid of horizontals and verticals. Colour enhances the illusion of space, as the verticals appear to advance into the foreground and the horizontals are automatically interpreted as background. The picture thus evokes a wavy motion and continues the discussion about the concepts of space, time, and movement.

Joseph MARSTEURER

*1963 in Miesenbach/AUT, lebt in Wien | lives in Vienna

Farbstriche | *Brushstrokes,* 2007
Acryl auf Plastikfolie | acrylic on plastic foil
je | each 40 × 440 cm
Inv. Nr.: 130/2009

Berthold Ecker

Malerei oder allgemeiner formuliert die Bildnerei wird auf ihre Bestandteile hin untersucht, bis zu den Grundelementen freigelegt bzw. rückgeführt und damit auch das Wesen des Bildes an sich hinterfragt. Was bleibt, sind einfache Pinselstriche in verschiedenen Farben, Farbstärken, Längen und Gewichten, der Auftrag ist sehr zurückhaltend, doch nicht ohne Individualität. Jeder Farbstrich wird sorgfältig mit Angaben zum Zeitpunkt der Entstehung und den materiellen Eckdaten versehen. Hier entsteht Malerei, aber noch kein Bild. Die Farbrollen werden in einem Archiv aufbewahrt, aus dem für weitere Verwendungen ausgewählt werden kann.
Für die Sammlung der Stadt Wien – MUSA wurden zehn derartige Farbstrichrollen erworben und dadurch, als eine von vielen Möglichkeiten des Umgangs damit, die Voraussetzung zu einer Bildwerdung im Format 200 × 300 cm geschaffen.
„Dieses Raumkonzept siedelt am Ende von Räumlichkeit, dort, wo Bild und Raum ineinander greifen, verschmelzen oder einander als Parallelwelten ästhetisch überlagern. An der Stelle, an der nicht mehr zwischen Denk-Raum, Real-Raum oder Illusionsraum unterschieden werden muss. Raum wird hier zu jener dynamischen Schnittmenge, die allein aus dem Vollzug entstanden, begriffen wird."
(J. Marsteurer)

The artist examines painting, or more generally the creation of visual art, to identify its components; he exposes and returns it to its most basic elements, thus questioning the essence of the painting as such. All that remains are simple brush strokes in different colours, intensities, lengths, and densities; their application is highly restrained but still has individuality.
Each paint stroke has been carefully labelled with its time of creation and the materials used. Here a painting has been created, but not a picture. The scrolls are stored in an archive where they can be selected for further use.
Ten such paint-stroke scrolls were acquired for the City of Vienna's collection – MUSA, providing, as one of many possible approaches, the prerequisites for a picture on the scale of 200 × 300 cm.
'This spatial concept is positioned at the end of spatiality, where image and space interlock, merge or form parallel, aesthetically overlapping worlds. A place where mental space, real space or illusionary space are no longer distinguished. Space becomes that dynamic intersection that can only be understood in its creation.'
(J. Marsteurer)

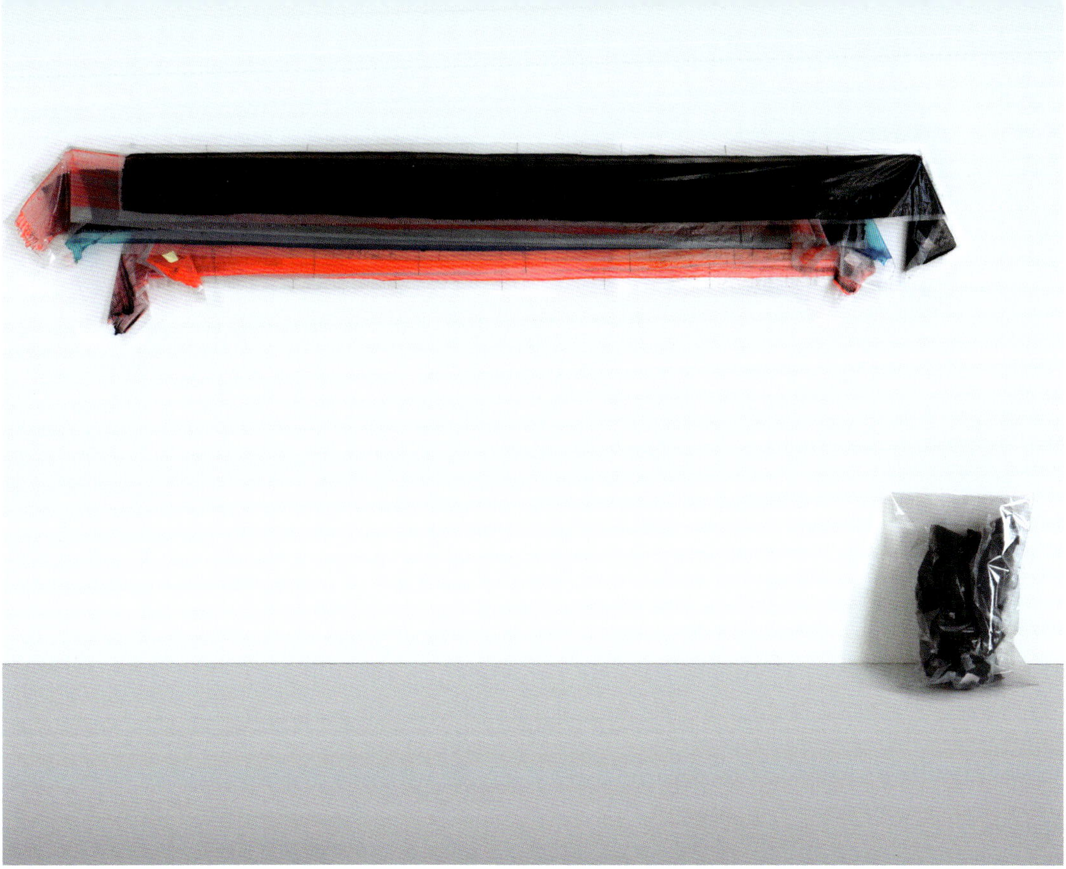

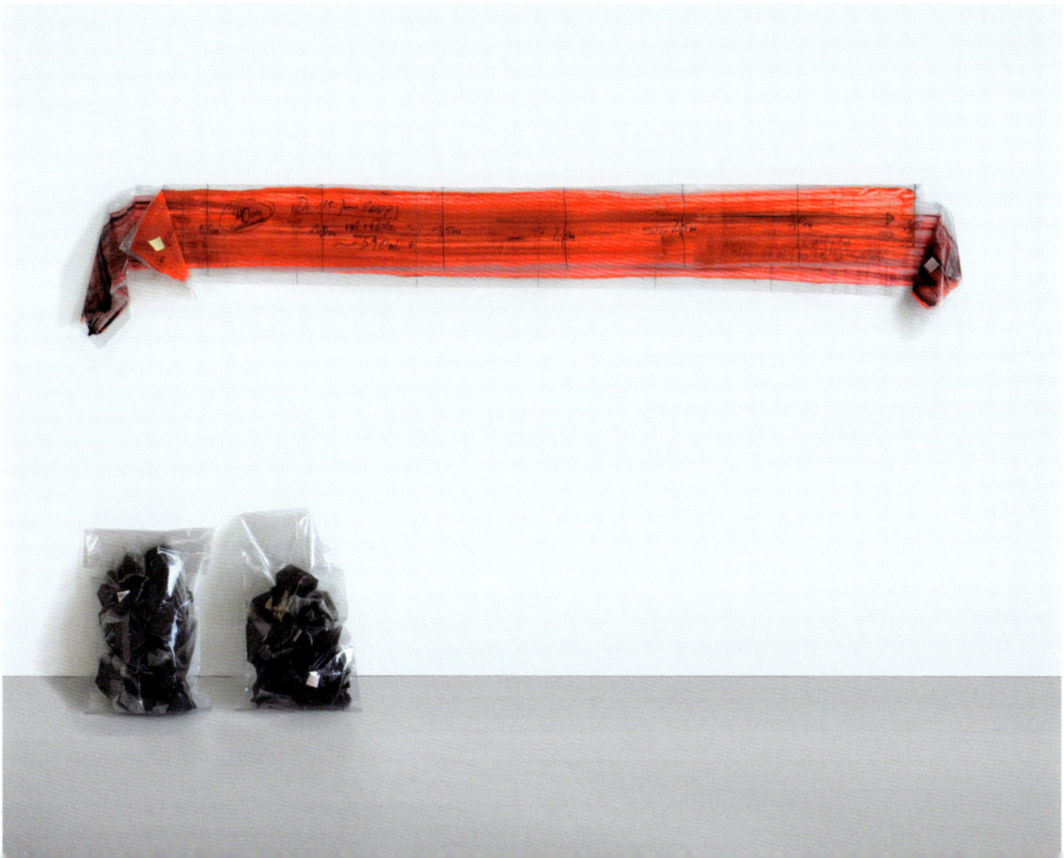

Katharina HEINRICH

*1964 in Linz/AUT, lebt in Wien | lives in Vienna

Ohne Titel | Untitled, 2003
Gummigeflecht | woven rubber
140×150 cm
Inv. Nr.: 148/2005

Alexandra Matzner

Katharina Heinrichs titellose Bodenarbeit ist ein 140×150 cm großes Gummigeflecht, das an eine in sich zusammengesunkene Pyramide denken lässt. Die Objektkünstlerin entschied sich schon während ihres Studiums für weiche Werkstoffe. Sie webt, knüpft und verzwirbelt Kunststoff-, Blei- und Gummibänder zu teppichartigen Flachgeweben, vorhangartigen Raumteilern oder spinnwebartigen Installationen. Das Wort Textil als Bezeichnung für „Gewebe" und „Zusammenhängendes" meint dabei die Verwandlung von etwas Linearem in etwas Flächenhaftes oder Räumliches. Heinrichs Objekte nehmen vom Raum Besitz, sind variabel in ihren Funktionszuschreibungen und zwischen Textil und Skulptur angesiedelt. Die Künstlerin verwandelt die schmalen Gummistreifen durch Zusammenfügen in dreidimensionale Gebilde, die in sich Raum einschließen und als Objekte sich in den Raum einschreiben. Diese Bodenarbeit markiert den realen Raum in Form eines installativen Eingriffs und verhandelt so die Beziehungen zwischen Boden, Wänden und der gläsernen Decke. Die Arbeit hinterfragt die Durchdringung von Linearität, Flächigkeit und Räumlichkeit, da der Raum nun im wahrsten Sinne des Wortes zum Bild-Träger der Linien wird.

Katharina Heinrich's untitled floor piece is a 140×150 centimetre object made of woven rubber that recalls a collapsed pyramid. The object artist decided to work with soft materials while still a student. She weaves, ties, and twists lead tape and plastic or rubber bands into flat 'tapestries', curtain-like partitions, and installations resembling spider's webs. The word 'textile' as a term for a woven material or fabric refers here to the transformation of something linear into something planar or spatial. Heinrich's objects take possession of space, are variable in their possible functions, and can be placed somewhere between textile and sculpture. The artist intertwines slender strips of rubber and transforms them into three-dimensional forms that enclose space and, as objects, also inscribe themselves onto the space around. This floor piece makes its mark on real space in the form of an installative intervention and thus renegotiates the relationships between floor, walls, and the glass ceiling. The work questions how linearity, planarity, and space intertwine, as space has now, quite literally, become the 'support' for these lines.

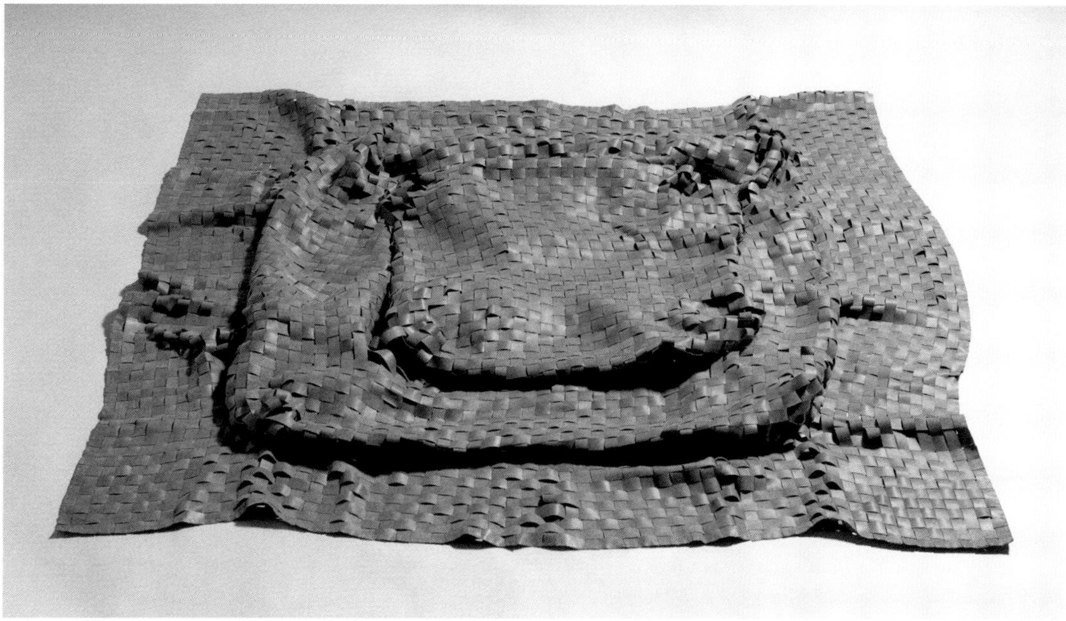

Gregor ELDARB

*1971 in Bielsko-Biala/POL, lebt in Wien | lives in Vienna

Several models put together, 2004
Karton und Papier | cardboard and paper
370 × 105 × 77 cm
Inv. Nr.: 203/2005

Franz Thalmair

Inspiriert von Georges Perecs Zimmern eines Pariser Mietshauses und seinen BewohnerInnen, die der Schriftsteller in „Das Leben Gebrauchsanweisung" detailverliebt und von Fakten besessen porträtiert, konstruiert Gregor Eldarb mit der Serie „Several models put together" puzzleartige architektonische Gefüge. Eine mögliche Kellertreppe schließt hier an ein mögliches Wohnzimmer an, eine mögliche Küche wird dort von einer möglichen Glasfassade eingefasst, hier mögliche Kanten, dort mögliche Ecken, mögliche Brüstungen, Stützen und Pfeiler – Möglichkeitsräume. Aus vorgefundenen Materialien wie handelsüblichem Karton und Papier, teils eingefärbt, teils unbehandelt, baut der Künstler seine Anordnungen, die ursprünglich einem zeichnerischen Prozess entstammen. Die raumhohen Bauten wirken wie in der Vergangenheit als Utopien entworfene Wohnformen, die zu einem bestimmten – damals als Gegenwart empfundenen – Zeitpunkt realisiert und mittlerweile – jetzt, in der Zukunft – wieder dem Verfall preisgegeben wurden. Die Vervielfachung potenzieller Räume, ihr Ineinandergreifen, ihre Verschachtelung sowie die Absurdität einzelner Elemente formieren sich schließlich zu einer Struktur, die den Bereich des Architektonischen verlässt und zur Skulptur wird.

Inspired by Georges Perec's *Life: A User's Manual,* in which the writer portrays rooms in a Parisian apartment block and its inhabitants with great attention to detail and factual obsession, Gregor Eldarb, in his series *Several models put together,* has constructed an architectural puzzle. Possible cellar stairs are linked to a possible living room, a possible kitchen is contained within a possible glass façade; here are possible angles, there possible corners, or possible balustrades, pillars, and posts – spaces of possibilities. Based on initial drawings, the artist constructs his arrangements from materials at hand, such as readily available cardboard and paper, which he either colours or leaves in their original state. These floor-to-ceiling constructions seem like utopian dwellings designed in the past, which were realized at a certain time – back then the present – and have since – in the future – been left to fall to ruin. The multiplication of potential rooms, their merging and interlocking, and the absurdity of individual elements, ultimately form a structure, which, leaving architecture behind, becomes a sculpture.

Eva CHYTILEK

*1981 in Wien, lebt in Wien | in Vienna, lives in Vienna

Der fünfte Stuhl | The Fifth Chair, 2008
Thonet-Stühle | Thonet chairs
je | each 80 × 55 × 55 cm
Inv. Nr.: 193/2010

Alexandra Matzner

„Setzen verboten!", müsste im Ausstellungsraum eigentlich vor diesem Werk von Eva Chytilek stehen. Die Objekte noch als Stühle zu bezeichnen, scheint mutig, sind sie doch durch den künstlerischen Eingriff ihrer Funktion als Sitzmöbel enthoben. Dass Eva Chytilek dafür gerade Sessel der berühmten Wiener Bugholzfirma Thonet verwendete, die zur vorletzten Jahrhundertwende nicht nur viele Kaffeehäuser bestuhlte, sondern auch die Verbindung von Funktionalität und Design vorantrieb, erscheint konsequent. Die in Wien lebende Künstlerin dekonstruierte vier Stühle, um einen fünften aus den abmontierten Teilen zu gewinnen. Gewissermaßen aus vier mach fünf! Das Massenprodukt Thonetstuhl, im 19. Jahrhundert bereits industriell gefertigt, wird durch diese Behandlung zu einem Unikat, gibt aber gleichzeitig seine Funktionalität auf. Im selben Moment betont Chytilek durch ihren Eingriff die Fragilität der Objekte. Sie verändert das vorgefundene Material, gibt ihm Bedeutung und stellt es in den Kunst-Raum, um Fragen nach Massenproduktion und Authentizität zu stellen. Übrig bleibt daher nur die Idee von einem Sessel. Also „Setzen verboten!", denn nun ist jeder Stuhl ein einzigartiges Kunstwerk.

'Do not sit on these chairs!' – this warning should accompany this work by Eva Chytilek. In fact, calling these objects chairs is stretching it a little, as the artist's intervention has rendered them useless as seats. The artist's choice of chairs by the famous Viennese bentwood furniture company Thonet, who not only furnished many of Vienna's coffee houses in the nineteenth century but also championed the fusion of functionality and good design, seems only too apposite. The Vienna-based artist deconstructed four chairs in order to make a fifth out of the extracted parts – literally 'making five out of four'. The mass-produced Thonet chair, which has been industrially manufactured since the nineteenth century, was thus transformed into a unique, hand-made object, albeit at the expense of functionality. At the same time, through her intervention, Chytilek emphasizes the objects' fragility. She has altered the chairs' material, given it meaning and placed it in the realm of art in order to raise questions about mass production and authenticity. All that remains of the chair is the idea. So, 'do not sit on these chairs!' – as each of them is now a unique work of art.

Alexandra BRANDL

*1968 in Villach/AUT, lebt in Wien | lives in Vienna

Auto-Mobil (Bananen-Verschimmelung) | Auto-Mobile (Rotting Bananas), 1997
Farbfotos auf Karton | colour photographs on cardboard
je | each 50×65 cm
Inv. Nr.: 177/1997

Johannes Karel

Ein durchschnittliches Auto wurde in einer durchschnittlichen städtischen Wohngegend ordnungsgemäß geparkt, der Fahrgastraum mit Erde, Bananenschalen und den geschälten Früchten obenauf bis zu den Scheiben aufgefüllt, die Veränderung im Inneren sowie die Wahrnehmung von außen über drei Wochen dokumentiert.

Die Künstlerin hat mit ihrer Installation parallele Prozesse in Gang gesetzt, die gänzlich ohne ihr weiteres Zutun – im Wortspiel des Titels erkennbar – abliefen: die im geschlossenen, privaten Bereich des Wageninneren stattfindende, aber von außen sichtbare Zustandsveränderung der faulenden Bananen und die Auseinandersetzung der umgebenden Öffentlichkeit mit der Anomalie im urbanen Alltagsraum.

Der biochemische Prozess der Verwesung schuf ein sich stetig veränderndes Biotop und rückte aus der öffentlichen Wahrnehmung tunlichst verdrängte Aspekte von Tod und Vergänglichkeit, Konsum und Verschwendung oder soziale Norm gegen private Individualität in den Blickpunkt. Die daraus resultierende Irritation manifestierte sich in einem breiten Spektrum an Reaktionen von betroffenem Hinterfragen bis agressiver Ablehnung.

In der Arbeit wird eine Vielzahl von Handlungs- und Bedeutungsebenen verdichtet, die sich jeweils konträr gegenüberstehen, die gewohnten Wahrnehmungsmechanismen des inneren und äußeren Selbst außer Kraft setzen und Stellungnahme einfordern.

An ordinary car was parked in an orderly fashion in an ordinary part of town, the passenger area filled up to the windows with soil, banana skins and the peeled fruit, and the changes inside the car as well as the reactions of the outside world were documented over the course of three weeks.

In her installation, the artist triggered parallel processes that continued without any further intervention on her part – as the pun in the title conveys. Inside the private space of the car, but fully visible to the outside world, the state of the bananas is changing as they decompose. Meanwhile the public reacts to this anomaly occurring in the urban space of their daily lives.

The biochemical process of decay created a continually changing biotope that focused attention on aspects of life that we go to great lengths to repress: death and mortality, consumerism and waste, and social norms as opposed to individual freedom. The confusion this caused was manifested in a broad spectrum of reactions ranging from anxious questioning to aggressive dismissal.

This work combines many layers of action and meaning, which form contrasting juxtapositions and debunk accustomed ways of seeing our inner and outer selves, forcing us to take a stance.

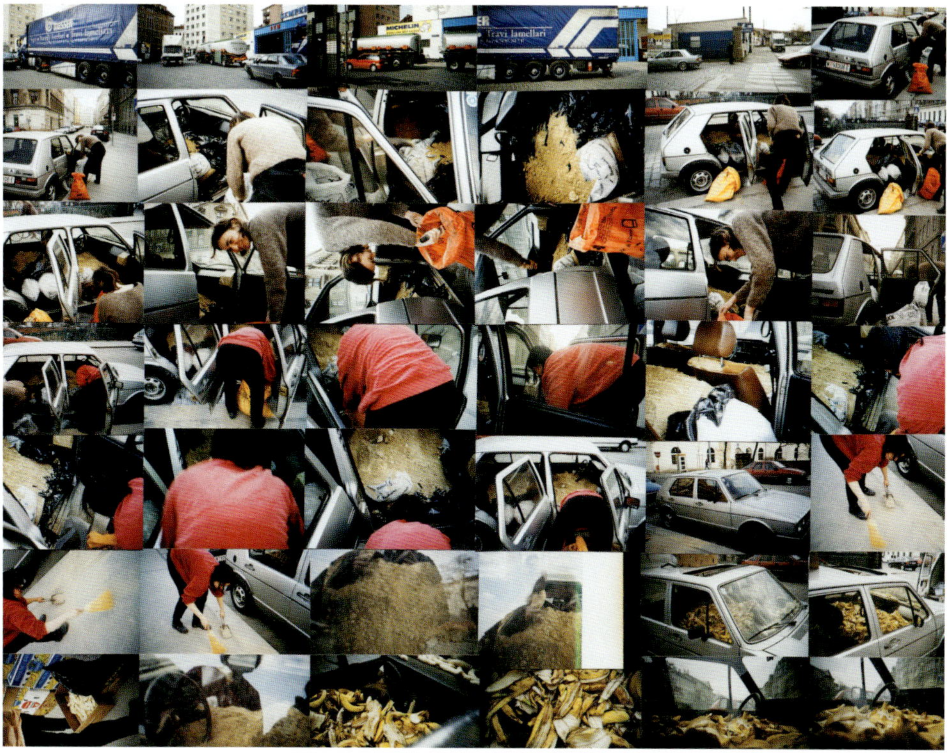
MICHELIN
Travi lamellari

Julia WILLMS

*1974 in Wilhelmshaven/GER, lebt in | lives in Amsterdam

Urban Household 1, 2007
Digitale Collage auf Aluminium | digital collage on aluminium
52,5x35cm
Inv. Nr.: 6/2009

Gunda Achleitner

Beginnend beim Titel „Urban Household" baut Julia Willms mit ihrer kleinformatigen digitalen Collage auf mehreren Ebenen Spannungsfelder auf, die sie im selben Moment harmonisch auflöst. Das Szenario erscheint paradox und friedlich zugleich – in einen ruinösen Innenraum mit Neonlicht, abblätterndem Verputz und freigelegtem Mauerwerk (ein Bunker womöglich) ist eine in mehreren Ebenen sanft ansteigende Wiese mit Blumen, Bäumen und Weg eingestellt. Es scheint, als wäre die Miniaturlandschaft, sei sie echt oder am Computer konfiguriert, in diesen und die angrenzenden Räume hineingewachsen, aber auf solch ausgewogene Weise, dass man erst langsam die beabsichtigte Irritation im Bild erkennt und sie nicht mal dann als solche empfindet.
Willms bricht mit unserer gewohnten Wahrnehmung, löst die Grenzen zwischen außen und innen auf, kombiniert Natur mit urbanem Raum, Realität mit Fiktion. Die kurzfristig aufgebaute Spannung wird übergeleitet in eine künstliche Idylle, in der die Relation zwischen den zwei Konstanten Landschaft und architektonischer Raum umgedreht wird: Hier umgibt der Innen- den Außenraum, noch dazu in beschützend anmutender Weise, lässt doch die Leuchtstoffröhre an der Wand an das künstliche Licht, das in Gewächshäusern zur Pflanzenzucht verwendet wird, denken – eine Assoziation, die sich wiederum bis zur Schutzfunktion eines Bunkers gegen äußere (Natur-) Gewalten weiterverfolgen ließe.

Taking the title *Urban Household* as a starting point for this small-scale digital collage, Julia Willms creates multilayered, tense dichotomies only to dissolve them harmoniously in the same instant. The scenario seems both absurd and peaceful at the same time: in a dilapidated interior with neon lighting, flaking plaster, and exposed masonry (possibly a bunker), we can see a gently inclining meadow with flowers, trees, and a path. It seems as if this miniature landscape, whether real or computer-generated, has grown into this and the adjoining rooms, but in such a balanced way that the intended confusion in this scene is noticed only gradually, and even then is not really perceived as such.
Willms challenges our accustomed perception, dissolves the boundaries between exterior and interior, combines nature with urban space, reality with fiction. The briefly built-up tension is converted into an artificial idyll that inverts the relationship between the two constants *landscape* and *architectural space*. Here the interior surrounds the exterior, and does so in an almost protective manner – as the fluorescent lamp on the wall recalls the artificial lighting used in greenhouses to cultivate plants. An association that by further extension also alludes to the protective function of a bunker against exterior forces (of nature).

Willi KOPF

*1949 in Rankweil/AUT, lebt in Wien | lives in Vienna

Ohne Titel | *Untitled,* 1987
Homogenplatten | chipboard
64 x 24 x 16 cm, Sockel | base 70 x 48 x 32 cm
Inv. Nr.: 132/1988

Alexandra Matzner

Willi Kopfs Skulpturen bestechen seit der Mitte der 1980er Jahre durch ihre Einfachheit, exakte Ausführung und Geometrie. Sie visualisieren auf mathematischen Berechnungen basierende Denkvorgänge. Die mannigfaltigsten Lösungen für das Problem der Verräumlichung der flächigen Spanplatten findet der Künstler in Zeichnungen.[1] Der Bildhauer thematisiert in der hier ausgestellten Arbeit aus dem Jahr 1987 sowohl das Verhältnis zwischen dem Kunstwerk und seinem Sockel wie auch das zwischen der Skulptur als Körper und seiner Oberfläche. Die Zeichnung und dadurch auch Rhythmus und Struktur gewinnt Kopf mit Hilfe der Schnittkanten der verleimten Platten. Obwohl die Körperlichkeit von Kopfs schlichten Kuben und auch ihr Herstellungsprozess eine intensive Auseinandersetzung mit dem Raum voraussetzt, wollte der Künstler „den Raum um seine Objekte nicht im Besonderen thematisieren".[2] Dem stehen die verborgenen Raummöglichkeiten im Inneren gegenüber, die Kopf im Zuge seiner Secessionsausstellung 1988 als „einen bewußt eingebrachten Kontrast zur Verschachtelung des Innenraums" beschreibt.[3]

1 Das hat seinen Ursprung in Josef Hoffmanns berühmtem Supraportenrelief für die Beethoven-Ausstellung der Secession im Jahr 1902. Zit. nach Willi Kopf, Ausst.-Kat. Künstlerhaus Palais Thurn und Taxis, Bregenz, 7.10.–6.11.1994, S. 7.

2 Zit. nach: Willi Kopf im Gespräch mit Christina Bechtler, in: Christian Bechtler, Willi Kopf. Skulpturen 1985–1991, Ostfildern 1992, S. 76.

3 Willi Kopf, in: Gunter Damisch – Willi Kopf, Ausst.-Kat. Wiener Secession, Wien, 9.9.–9.10.1988, S. 14.

Since the mid-1980s, Willi Kopf's sculptures have stood out on account of their simplicity, exact execution, and geometry. They visualize thought processes based on mathematical calculations. In drawings the artist finds a multitude of solutions to the challenge of creating a spatial object out of planar chipboard.[1] In this work of 1987, the sculptor explores the relationship between the artwork and its plinth, and between the sculpture as a body and its surface. Kopf creates the drawing, and with it rhythm and structure, by including the cut edges of the glued boards in his composition. Although the corporeality of Kopf's simple cubes, and the process by which they are produced, requires an intensive examination of space, the artist did not intend to 'specifically address the subject of space around his objects.'[2] This is juxtaposed with the spatial possibilities concealed within the object, which Kopf described during his 1988 Secession exhibition as 'a deliberately introduced contrast to the interlocking structure of the interior'.[3]

1 This has its origins in Josef Hoffmann's famous sopraporta relief for the 1902 Beethoven Exhibition at the Secession. Cited from Willi Kopf, exh. cat. Künstlerhaus Palais Thurn und Taxis, Bregenz, 7 Oct.–6 Nov. 1994, 7.

2 Cited from: 'Willi Kopf im Gespräch mit Christina Bechtler', Christian Bechtler, Willi Kopf: Skulpturen 1985–1991 (Ostfildern, 1992), 76.

3 Willi Kopf, Gunter Damisch – Willi Kopf, exh. cat. Vienna Secession, Vienna, 9 Sep.–9 Oct. 1988, 14.

Walter GSCHWANDTNER

*1956 in Niederneukirchen/AUT, lebt in | lives in Leonding/AUT

Mutation, 1983
Textilobjekt | textile object
80×180×50 cm
Inv. Nr.: 281/1986

Markus Schön

Seit jeher ist unser Planet Veränderungen ausgesetzt. Doch kein Lebewesen hat derart manipulativ in den Lauf der Welt eingegriffen wie die Spezies Mensch.
Um zu erkennen, warum manche Dinge so sind, wie sie sind, hat der Mensch versucht, seine herausragende Stellung zu begründen. Neben religiös geprägten Vorstellungen entwickelte er das Bild der Evolution, in der, als ein wichtiger Faktor, Mutationen, das heißt dauerhafte Veränderungen des Erbgutes, stattfinden.
„Mutation" von Walter Gschwandtner ist, rational betrachtet, ein textiles Kunstobjekt. Unser Fantasievermögen lässt uns jedoch mehr erkennen.
Wir sind an Science-Fiction-Filme erinnert, fassen Strukturen, deren Ursprünge der menschlichen DNA entnommen zu sein scheinen. Wir spüren der Frage nach, welche Art sich hier mit welcher vereinigt, welche Verbindung zu jener Form geführt haben könnte. Was ist alles durch Mutation – mitunter auch künstlich, also durch den Menschen, verursacht – möglich?
Die Kunst liefert heute größtenteils genügend Raum und Möglichkeiten, metamorphe Prozesse umzusetzen – aber wie viel an Veränderungen dürfen wir an uns Lebewesen vornehmen? Wann haben wir die Grenzen des Möglichen erreicht?

Throughout its history our planet has always been subject to changes. Yet no species has influenced the world's story to the same extent as Homo sapiens. In order to understand why some things are the way they are, we have tried to explain our preeminent status. In addition to religious beliefs, we developed the concept of evolution. Mutations, meaning lasting changes in genetic make-up, play an important part in this.
Viewed rationally, *Mutation* by Walter Gschwandtner is simply a textile art object. But in our imagination we conjure up more. We recall science fiction films, and detect structures that are seemingly derived from human DNA. Instinctively we consider the species that could have been combined here and the union that could have resulted in this form. What becomes possible through mutation – including artificial mutation, engineered by human intervention?
Today art generally provides enough scope and opportunities to implement metamorphic processes. Yet, to how much change can we subject ourselves and other living beings? When have we reached the limits of the possible?

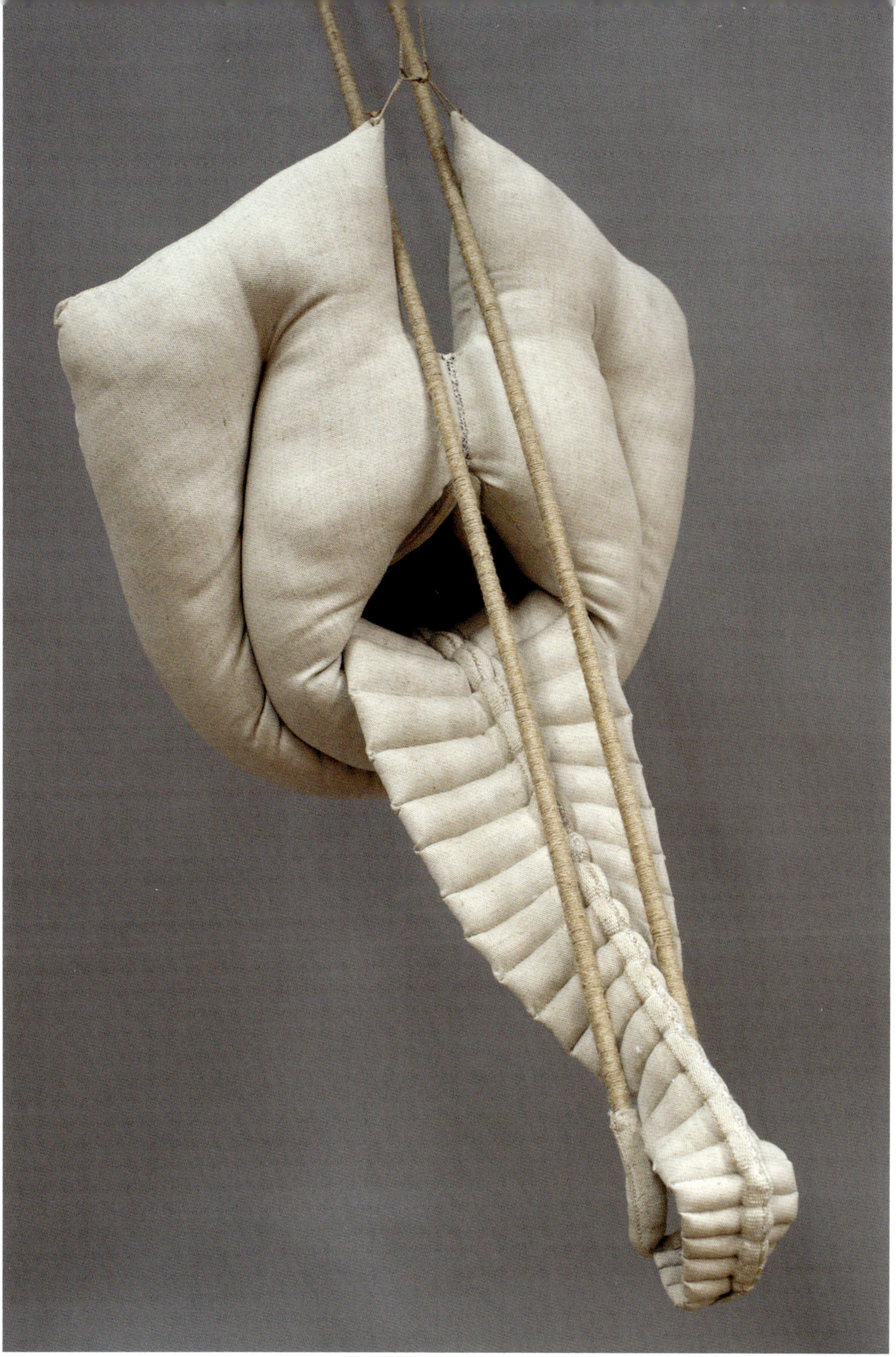

Peter DRESSLER

*1942 in Brasov/ROU, lebt in Wien | lives in Vienna

Klar wie unsichtbar | As Clear as Invisible, 1975
Schwarzweißfotos auf Karton | black-and-white photographs on cardboard
65×85 cm
Inv. Nr.: 166/2004

Alexandra Matzner

Peter Dressler führt in seinen Fotografien der 1970er Jahre „über das Abbild hinaus zu einer verbindenden assoziativ angelegten Sprache".[1] Im Fotobuch „Zwischenspiel" zeigt sich sein künstlerischer Ansatz als ein Wechselspiel zwischen „straight" und „street photography". Dressler ist dem Realismus verpflichtet und produziert dennoch poetische Tableaus, in denen er – wie im Film – Bilder verknüpft und so assoziativ Bedeutung generiert. Die Fotografie als Technik verschwindet hinter dem Abbildcharakter des Bildes, sie ist eben „klar wie unsichtbar". Der Stadtraum wird durch seinen beobachtenden Blick zu einem psychologischen Spiegelbild des „typischen Wien" der 1970er Jahre. Das Fenster markiert dabei im Raumgefüge die Schwelle zwischen Innen- und Außenwelt, es wird zu einem Ort zwischen dem persönlichen und dem öffentlichen Raum. Die Kombination von Nahblick und Fernblick, der im 24-fachen Wiederholen eines Ausschnitts eine filmische Behandlung erfährt, setzt ein Doppelspiel in Gang: Die Erfassung des Ganzen aus der Distanz zeigt das Putzen eines Fensters. Im zentralen Bild beobachtet eine Frau ihre Umgebung, wird selbst aber durch ein verstaubtes, kaputtes Fenster hindurch aufgenommen.

1 Peter Dressler: Der frontale Blick. Der Einfall ist kein Zufall, in: ders.: Zwischenspiel, mit einem Vorwort von Otto Breicha, Wien 1989, S. 7.

In his photographs from the 1970s, Peter Dressler went 'beyond the image to a linking associative language'.[1] In his photo book *Zwischenspiel*, his artistic approach emerges in the interplay between 'straight' and 'street photography'. Dressler is rooted in realism, and yet produces poetic tableaus in which he links images – as in a film – thus generating associative meanings. Photography as a technique disappears behind the illustrative character of the image – it is 'as clear as invisible'. Through his scrutinizing gaze, urban space becomes a psychological mirror image of 'typical' 1970s Vienna. Within this spatial construct, the window denotes the threshold between interior and exterior; it becomes an object dividing personal and public space. The combination of close-up and distant views, which are repeated twenty-four times, as if in a film, creates a twofold story. The distant views show a window being cleaned. In the central image a woman is looking at her surroundings, but she herself is seen through a dusty, broken window.

1 Peter Dressler, 'Der frontale Blick: Der Einfall ist kein Zufall', in idem, Zwischenspiel, with a foreword by Otto Breicha (Vienna, 1989), 7.

Franz BEER

*1929 in Wien, lebt in Venedig/ITA | in Vienna, lives in Venezia/ITA

No 6/7 / 2003 (Schrein | Shrine), 2003
Collage und Acryl auf Holz | collage and acrylic on wood
39,8 x 32 x 9 cm (geschlossen | closed), 39,8 x 63,5 x 6,2 cm (geöffnet | open)
Inv. Nr.: 182/2009

Johannes Karel

Sakrale Triptychen haben, ihrer in den Niederlanden im 15. Jahrhundert entwickelten klassischen Ikonografie entsprechend, mit imitierend gemalten Steinskulpturen geschmückte Außenflügel, die sich an Feiertagen öffnen und ein transzendentes, überirdisches Bildgeschehen preisgeben. Der Blick der BetrachterInnen wird in eine überirdische, göttliche Ebene geführt, die das eigentlich Unsichtbare bildlich manifestiert.
Franz Beer überlagert in seinem Werk jegliche Bedeutungsebene innerhalb eines solchen Triptychons mit gleichförmig wirkenden, kleinen, hochrechteckigen Collageelementen aus gepressten Papierstücken, die der Künstler seit über fünfzig Jahren aus unerwünscht zugesandten Werbesendungen herstellt. Zum Teil mit dünnen Fäden beklebt, überziehen diese scheinbar ursprungslosen Elemente das gesamte Objekt und negieren durch die gleichzeitige Verdichtung wie Überlagerung jegliche Bildinformation. Der skulpturalen Schwere, die die Grauschattierungen und feinen Oberflächenreliefs implizieren, steht der flirrende Gesamteindruck entgegen. Die zum Schrein vertiefte Mitteltafel bietet durch die lockere Anordnung längerer, streifenförmiger Collagestücke auf einem symmetrisch aufgesetzten Mittelstück ein scheinbares Zentrum an. Diese zentrale Akkumulation eröffnet zwar eine neuerliche Dreidimensionalität im Objekt, verwehrt jedoch durch die gleichzeitig aufgebaute Indifferenz wiederum den Fokus auf jegliche visuell aufnehmbare Information.
Das Werk führt den Blick ständig zu Sichtbarem gleichwie Unsichtbarem und kulminiert dabei spirituelle Inhaltsleere und – obwohl vorhanden – vorenthaltene Informationsfülle zu desperater Orientierungslosigkeit.

The classic iconography of religious triptychs, developed in the Netherlands in the fifteenth century, encompassed painted imitations of stone sculptures on the exterior wings. The wings would be opened on feast days to reveal transcendental, heavenly scenes. The viewer's gaze is drawn into an otherworldly, divine place where imagery manifests an invisible realm.
Franz Beer conceals the traditional triptych's layers of meaning with a collage of small, seemingly identical, rectangular pieces of compressed paper, which he has been making out of unsolicited junk mail for over fifty years. Partially stuck with thin threads, these apparently rootless elements cover the entire object, their density and overlapping layers obliterating all pictorial information. The sculptural weight implied by the grey shades and delicate surface structure is countered by the overall 'snowstorm' effect. A semblance of a centre can be found at the heart of the indented middle panel, where strips of collage are arranged loosely down a symmetrical central section. Although this concentration at the centre endows the object with an added sense of three-dimensionality, the random application prevents us from absorbing any visual information. The work constantly leads our gaze towards the visible-invisible and this spiritual vacuum and existing – but denied – wealth of information culminate in a desperate sense of disorientation.

Barbara PUTZ-PLECKO

*1956 in Klagenfurt/AUT, lebt in Wien und Damtschach/AUT | in Klagenfurt/AUT, lives in Vienna and Damtschach/AUT

SchnittBlume, Cyanthium #1 | CutFlower, Cyanthium #1, 1995
Digitalkomposit, Calsi auf Aluminium | digital composite, Calsi mounted on aluminium
125,5 × 132 cm
Inv. Nr.: 13/2001

Alexandra Matzner

Für die Serie „SchnittBlumen" kombiniert Barbara Putz-Plecko Fotografien von Blumen und Aufnahmen des menschlichen Körpers und druckt die tierisch-menschlichen Metamorphosen großflächig und farbintensiv auf Aluminiumplatten. Innen und außen, Bekanntes und Unbekanntes verschmelzen in diesen Arbeiten zu hybriden Wesen. Das Dazwischen – zwischen Realem und Fiktivem – macht Putz-Pleckos Synthesen von Blumen und menschlichen Körperteilen zu liminalen und irritierenden Unsicherheitsräumen.
Die blutrote Rosenblüte von „Cyanthium #1" steht in voller Pracht vor uns und gibt den Blick auf ihr fleischiges Inneres aus menschlichen Stimmlippen preis. Der Blick auf den Kehlkopf ähnelt dabei erstaunlich der Form der inneren Kronblätter der Rose. Gleichzeitig stellt sich die Assoziation mit fleischfressenden Pflanzen ein, wird doch die Fülle des Blütenzentrums durch einen dunklen, fallenartigen Schlund ersetzt. Die Öffnung wie auch die feucht glänzende Oberfläche der Stimmlippen setzen die suggestive Kraft der Phantasie frei: Die rote Rose, Metapher der Liebe und des Begehrens, verwandelt sich in ein Symbol der Angst – Angst vor dem Verschlungenwerden, dem Verwelken und der Verwesung.[1]

1 Daniela Hammer-Tugendhat, Schnitt/Blumen. Schnitt/Körper, in: Barbara Putz-Plecko, SchnittBlumen. CutFlowers, Ausst.-Kat. Heiligenkreuzerhof, Universität für angewandte Kunst, Wien, 11.12.1998 –24.1.1999, S. 17f.

In the series *CutFlowers,* Barbara Putz-Plecko combines photographs of flowers and of the human body and prints these animal-human metamorphoses in large and vibrant forms on aluminium sheets. Interior and exterior, known and unknown merge in these works into hybrid creatures. The space in-between – the tension between reality and fiction – makes Putz-Plecko's syntheses of flowers and human body parts into liminal and disturbing spaces of uncertainty.
In *Cyanthium #1* the blood-red rose is presented to us in all its glory, its petals revealing its fleshy interior of human vocal folds. This glimpse of the larynx bears an astonishing resemblance with the petals at the heart of a rose. Yet the dark, trap-like chasm that replaces the profusion of petals normally at the flower's centre, conjures up associations with carnivorous plants. This opening, and the moist, shining surface of the vocal folds, inspire the evocative powers of imagination: the red rose, a metaphor of love and desire, is transformed into a symbol of fear – fear of being engulfed, of wilting and decaying.[1]

1 Daniela Hammer-Tugendhat, 'Schnitt/Blumen. Schnitt/Körper', in Barbara Putz-Plecko, SchnittBlumen. CutFlowers, exh. cat. Heiligenkreuzerhof, Universität für angewandte Kunst, Vienna, 11 Dec. 1998–24 Jan. 1999, 17f.

Impressum | Imprint

Katalog | Catalogue
Herausgeber für die Kulturabteilung der Stadt Wien (MA 7) | Editor for the Department for Cultural Affairs of the City of Vienna (MA 7): Marc Mer
Redaktion | Editing: Johannes Karel

Das Werk ist urheberrechtlich geschützt.
Die dadurch begründeten Rechte, insbesondere die der Übersetzung, des Nachdruckes, der Entnahme von Abbildungen, der Funksendung, der Wiedergabe auf photomechanischem oder ähnlichem Wege und der Speicherung in Datenverarbeitungsanlagen, bleiben, auch bei nur auszugsweiser Verwertung, vorbehalten. Die Wiedergabe von Gebrauchsnamen, Handelsnamen, Warenbezeichnungen usw. in diesem Buch berechtigt auch ohne besondere Kennzeichnung nicht zu der Annahme, dass solche Namen im Sinne der Warenzeichen- und Markenschutz-Gesetzgebung als frei zu betrachten wären und daher von jedermann benutzt werden dürfen. Produkthaftung: Sämtliche Angaben in diesem Fachbuch/wissenschaftlichen Werk erfolgen trotz sorgfältiger Bearbeitung und Kontrolle ohne Gewähr. Eine Haftung des Autors oder des Verlages aus dem Inhalt dieses Werkes ist ausgeschlossen.

This work is subject to copyright.
All rights are reserved, whether the whole or part of the material is concerned, specifically those of translation, reprinting, re-use of illustrations, broadcasting, reproduction by photocopying machines or similar means, and storage in data banks. Product Liability: The publisher can give no guarantee for all the information contained in this book. The use of registered names, trademarks, etc. in this publication does not imply, even in the absence of a specific statement, that such names are exempt from the relevant protective laws and regulations and therefore free for general use.

© 2012 Springer-Verlag/Wien

Druck | Printed by: AV+Astoria Druckzentrum
Printed in Austria.

SpringerWienNewYork ist ein Unternehmen von
Springer Science + Business Media
springer.at

Texte | Texts: Gunda Achleitner, Berthold Ecker, Roland Fink, Johannes Karel, Alexandra Matzner, Marc Mer, Michaela Nagl, Birgit Rinagl, Markus Schön, Johannes Stahl, Franz Thalmair, Gerd Zillner
Lektorat Deutsch | Proofreading German: Fanny Esterhazy
Übersetzung | Translations: Wolfgang Astelbauer, Stephen Grynwasser, Rebecca Law
Lektorat Englisch | Proofreading English: Betti Moser
Grafik | Graphic design: Drahtzieher Design + Kommunikation, Barbara Wais
Fotografie | Photography: Michael Wolschlager
RestauratorInnen | Conservators: Lisa Gräber, Peter Hanzer, Barbara Kühnen

© 2012, Kulturabteilung der Stadt Wien (MA 7) | Department for Cultural Affairs of the City of Vienna (MA 7).
© für die Texte bei den AutorInnen | for the texts with the authors.
© für die Abbildungen | for the images with: Kulturabteilung der Stadt Wien (MA 7) | Department for Cultural Affairs of the City of Vienna (MA 7).
Außer | except: Peter Köllerer, Joseph Marsteurer, Marc Mer (S. | p. 153), Walter Niedermayr, Julia Willms (S. | p. 179).
Für | for Friedrich Kiesler: Österreichische Friedrich und Lillian Kiesler-Privatstiftung, Wien.

Umschlagbild | Cover photo: Walter Gschwandtner, Eva Chytilek, Katharina Heinrich, Götz Bury, Wernar Mentl, Robert Adrian X, Lotte Lyon, Eduard Tauss, Judith Saupper, Richard Künz, Gregor Eldarb, Leslie De Melo, Bernhard Leitner, Gottfried Ecker

Gedruckt auf säurefreiem, chlorfrei gebleichtem Papier | Printed on acid-free and chlorine-free bleached paper
SPIN 86125009

Bibliografische Information der Deutschen Nationalbibliothek
Die Deutsche Nationalbibliothek verzeichnet diese Publikation in der Deutschen Nationalbibliografie; detaillierte bibliografische Daten sind im Internet über http://dnb.d-nb.de abrufbar.

ISBN 978-3-7091-1322-6 SpringerWienNewYork

Ausstellung | Exhibition
MUSA Museum Startgalerie Artothek
19. Juni | June – 6. Oktober | October 2012
Felderstraße 6–8
1010 Wien | Vienna
www.musa.at

Leiter der Kulturabteilung der Stadt Wien (MA 7) |
Head of the Department for Cultural Affairs of the City of Vienna (MA 7): Bernhard Denscher
MUSA – Leiter | Director: Berthold Ecker
Idee und Konzeption, Kurator | Idea and concept, curator: Marc Mer
Projektleitung | Project management: Johannes Karel
Mitarbeit | Assistance: Gunda Achleitner, Roland Fink, Sonja Gruber, Karin Krammer, Peter Schauer, Heimo Watzlik, Michael Wolschlager
Öffentlichkeitsarbeit | PR: Monika Anzelini

Unser Dank gilt | We would like to thank: Österreichische Friedrich und Lillian Kiesler Privatstiftung, Wien, für die Leihgaben | for the loans